D1178223

A SUS PLANTAS
RENDIDO UN LEON

Para Fernandito Alegría,
con un cordial saludo,

[firma]

Iberlucea 1140
Buenos Aires (1160)
Argentina

(¿Por qué dice usted en su bello
artículo sobre "Un día con su excelencia"
de Jerez, que agosto es el mes de
los gatos? Cuéntemelo, por favor...

NARRATIVAS ARGENTINAS

OSVALDO SORIANO

A sus plantas
rendido un león

EDITORIAL SUDAMERICANA
BUENOS AIRES

Diseño de tapa: Mario Blanco

Ilustración: Fragmento de "Rana Varia"
(1863), Aloys Zötl.

© 1986 , Osvaldo Soriano

IMPRESO EN LA ARGENTINA

Queda hecho el depósito que pre-
viene la ley 11.723. © *1986, Edi-*
torial Sudamericana, S.A., Humber-
to I 531, Buenos Aires, Argentina.

ISBN 950-07-0389-0

A José María Pasquini Durán,
por el cónsul, por la amistad.

1

Esa mañana, cuando el cónsul Bertoldi fue a visitar la tumba de su mujer, se sorprendió al comprobar que la señora Burnett no había dejado una rosa sobre la lápida. Como todos los viernes, podía verla al otro lado del cementerio, frente al mausoleo de los ingleses. Sólo que esta vez la rosa no estaba allí y la señora Burnett le daba la espalda. Pese a los 45 grados llevaba un vestido largo de cuello cerrado, que nunca le había visto, y la capelina que se ponía para las fiestas de cumpleaños de la reina Isabel. Confusamente el cónsul intuyó que algo andaba mal. Quiso correr hacia ella, pero el pantalón empapado de sudor se le pegaba a las piernas y lo obligaba a moderar el paso. Avanzó por la calle principal, a la sombra de las palmeras, y tuvo que quitarse varias veces el sombrero para saludar a los blancos que paseaban en familia. Notó que nadie le retribuía el gesto, pero estaba demasiado apurado para detenerse a pensar. Sobre las colinas alcanzó a ver, casi desteñidos por el sol, a los militares británicos que terminaban las maniobras y regresaban al cuartel.

La señora Burnett levantó la sombrilla y empezó a caminar hacia el portal. El cónsul apuró la marcha y cruzó en diagonal entre las tumbas y los yuyos. La alcanzó frente a la capilla y la saludó con una reverencia exagerada.

—Andáte, Faustino, que no nos vean juntos —dijo ella,

y agregó, casi en lágrimas—: ¿Por qué tenían que hacer eso, Dios mío, por qué?

La mirada de Daisy lo asustó y lo hizo retroceder hasta la galería donde un grupo de nativos rezaba un responso. Se disculpó con un gesto respetuoso y fue a apoyarse contra la pared. Le pesaba la ropa y tenía un nudo en el estómago. Pensó que la había perdido y lo invadió una tristeza tan profunda como la letanía que murmuraban los negros frente al ataúd abierto. Miró hacia el portal y la vio subir al Rolls de la embajada. Un jeep con cuatro soldados salió de entre los árboles y fue a pegarse al paragolpes trasero del coche.

El cónsul se acercó a un grifo para refrescarse la cara. Los nativos pasaron a su lado cargando el féretro; algunos lloraban, y otros cantaban una tonada pegadiza. Bertoldi empezó a caminar hacia el centro, pero estaba demasiado abatido, y casi sin darse cuenta se subió a un ómnibus que repechaba la cuesta a paso de hombre.

Preguntó el precio del boleto y se corrió hacia el fondo, entre las cajas de bananas y las jaulas de los pájaros. Los negros lo miraban con curiosidad, y el cónsul temió que su presencia allí fuera tomada como una provocación. Nadie, aparte de él, llevaba pantalones largos ni usaba reloj pulsera. Cuando bajó en la plaza del mercado fue a sacar el pañuelo y se dio cuenta de que le habían robado la billetera con los documentos y la poca plata que le quedaba. Miró a su alrededor y vio a los vendedores que mojaban las verduras con una manguera. De pronto, en medio de esa multitud de rotosos, sintió, como nunca desde la muerte de Estela, una incontenible necesidad de llorar.

Cruzó la plaza abriéndose paso entre la gente, protegiéndose los bolsillos vacíos, y se acercó a las letrinas de madera que los ingleses habían construido en la época de la colonia. No encontró ninguna que pudiera cerrarse por dentro y entró en la última, frente a la estatua del Empe-

rador. Se sentó sobre las tablas mugrientas, entre un enjambre de moscas, y dejó que las primeras lágrimas le co-
rrieran por la cara. De pronto tuvo como un acceso de
tos, una descarga de algo que llevaba adentro como un
lastre. Pensó en sus cincuenta años cumplidos en ese miserable rincón del mundo, dejado de la mano de Dios, y
se sumergió en un sentimiento de compasión e impotencia. Se apretó la cara con las manos y se dobló hasta tri-
turarse la barriga mientras imaginaba que nunca más
podría reunirse con Daisy en la caballeriza de los australianos. Alguien empujó la puerta, y el cónsul tuvo que
levantar un pie para trabarla mientras murmuraba un im-
plorante "ocupado". Entre sus zapatos flotaban cáscaras
de naranjas y papeles deshechos. Buscó el paquete de
cigarrillos y contó los que le quedaban. Sacó uno y
guardó los otros tres para la noche. El humo lo hizo sentirse mejor. De sus ojos caían todavía unos lagrimones
espesos que le resbalaban por la cara. Las paredes de madera estaban llenas de dibujos obscenos e insultos contra
los ingleses plagados de faltas de ortografía. También
había largas frases en bongwutsi que no pudo descifrar.
En todos esos años sólo había aprendido a pronunciar
algunas fórmulas de cortesía y los nombres de las cosas
que compraba todos los días.

Cuando la brasa del cigarrillo llegó al filtro, se limpió
los ojos y volvió a la plaza. Cruzó la calle y buscó la del-
gada línea de sombra. La plaza empezaba a vaciarse.
Caminó lentamente mientras las campanas de una iglesia
sonaban a intervalos largos. Atravesó el bulevar de las
embajadas, adornado de flores y palmeras, y advirtió que
en la otra esquina dos guardias ingleses estaban armando
una garita a un costado de la calle. Frente a la embajada
de Pakistán había un Cadillac negro, y el cónsul se agachó
para mirarse en el espejo. Tenía unas ojeras profundas y
la nariz enrojecida, y trató de sonreír para ablandar los
músculos. Estuvo haciendo morisquetas con los labios

hasta que el vidrio de la ventanilla empezó a bajarse y una voz de mujer le preguntó si necesitaba algo. El cónsul se quitó mecánicamente el sombrero y retrocedió sin contestar.

Iba a tomar por la calle lateral cuando vio el Lancia del commendatore Tacchi frente al garaje de la embajada. Bertoldi pensó que el italiano podía sacarlo del apuro con diez o veinte libras y se acomodó el pelo antes de ir a tocar el timbre. Un negro de chaqueta colorada abrió la puerta y le dijo que Tacchi había ido a una reunión con los demás diplomáticos en la residencia de Gran Bretaña.

El cónsul se alejó preguntándose por qué diablos los embajadores habían decidido reunirse un viernes. Cuando se trataba de un golpe de Estado, Mister Burnett convocaba a sus aliados a evaluar la situación en su casa, pero jamás lo había hecho a la hora del almuerzo. Esa mañana Bertoldi no había percibido clima de agitación, de manera que decidió volver a su casa y prepararse algo de comer mientras esperaba el regreso del commendatore Tacchi.

Entró en una calle angosta, de chalés y baldíos abiertos. En la segunda esquina estaba el consulado argentino. Durante años Estela se había ocupado del jardín, pero ahora las plantas estaban marchitas y los yuyos empezaban a cubrirlo todo. El sendero de lajas que llevaba hasta el mástil estaba desapareciendo y todas las mañanas Bertoldi se abría paso entre la maleza para izar la única bandera que tenía.

Empujó con una rodilla la puerta de la cerca y recogió la edición internacional de *Clarín* que asomaba por la ranura del buzón. El diario era la única correspondencia que recibía de Buenos Aires y llegaba a nombre de Santiago Acosta, el anterior cónsul. En esas pocas páginas, Bertoldi trataba de adivinar cómo habría sido su vida en esos años si se hubiera quedado en una oficina de la cancillería.

Encendió la radio y se tranquilizó al oír que la música

era la misma de siempre. Se quitó la ropa, puso a calentar unos fideos y desplegó el diario sobre la mesa. Otro empate de Boca. Se detuvo un momento en el resumen del partido. Los jugadores ˙habían ido cambiando en esos años hasta que las formaciones de los equipos se volvieron conglomerados de nombres sin sentido, onomatopeyas a las que el cónsul daba vida con su imaginación. Abrió la heladera y se dio cuenta de que se había quedado sin manteca. Contó los días que le faltaban para cobrar el sueldo y se preparó los tallarines con tomate y una gota de aceite mientras la radio transmitía el oficio religioso del mediodía.

Almorzó desnudo, hojeando el diario sin poder concentrarse. ¿No sería que los servicios de inteligencia británicos habían descubierto su relación con Daisy?, pensó. Tal vez había caído en sus manos alguna de las cartas que le escribía por las noches, a la luz de una vela, esperando el encuentro de los viernes en el cementerio. Pero ¿qué importancia tenía ahora saber de qué manera se había enterado Mister Burnett? Lo cierto era que Daisy estaba bajo custodia y no podría volver a verla sin afrontar el despecho y los celos del marido.

Cuando terminó de comer lavó˙ el plato y la cacerola, encendió un cigarrillo y fue a la oficina a buscar un pasaporte en blanco. En el armario, bajo una montaña de papeles, encontró una almohadilla reseca y un bloc de formularios. Los llevó al escritorio, apartó el calentador para el mate, y se secó el sudor del cuello con una toalla. Iba a extender la primera renovación de pasaporte desde su llegada a Bongwutsi. Escribió cuidadosamente sus datos, puso los sellos, e imitó la enrevesada firma de Santiago Acosta. Después frotó el pulgar en la almohadilla y lo apoyó en el lugar indicado en el documento. Cuando terminó se dio cuenta de que le hacían falta cuatro fotos tres cuartos perfil, fondo blanco. Se dijo que al caer la tarde iría al centro a retratarse y de vuelta pasaría otra vez por la embajada italiana.

Apagó la radio y se tendió en el sofá. Sobre la pared, encima del armario, vio al grillo que lo despertaba por las noches. En un ángulo del techo había una telaraña ennegrecida por el polvo y el humo del tabaco. Bertoldi sabía que, tarde o temprano, el grillo caería en la trampa.

Estaba empezando a dormirse cuando sonó el timbre. Se levantó, extrañado, y fue a buscar la salida de baño. En la puerta, tieso como un espárrago, encontró a un oficial inglés flanqueado por dos reclutas. Bertoldi siempre se preguntaba cómo hacían para no transpirar los uniformes.

—Parte para el señor embajador de la República Argentina —dijo el militar—. Era un pelirrojo petiso, de lentes cuadrados.

—No hay embajador. Salga del sol, hombre.

El oficial le extendió un sobre cuadrado, igual a los que le traían los ordenanzas con las invitaciones a los cócteles y a los agasajos. Sin esperar respuesta, los ingleses saludaron y se fueron caminando por el medio de la calle. El cónsul los siguió con la mirada y tuvo la sensación de que esta vez no se trataba de una invitación. Volvió a la oficina, buscó un cortaplumas y abrió el sobre.

AL SEÑOR CONSUL DE LA REPUBLICA ARGENTINA EN BONGWUTSI

Ante la salvaje agresión sufrida por la Corona británica, Mister Alfred Burnett hace saber al señor representante de la República Argentina en Bongwutsi que el Reino Unido se dispone a defender por todos los medios lo que por legítimo derecho le pertenece. El honor y la virtud de la Corona serán preservados. El señor Cónsul de la República Argentina deberá abstenerse en el futuro de todo acto que pudiera ser considerado sospechoso, pérfido o agresivo. Mr. Burnett ha ordenado a las tropas de Su Majestad que establezcan una zona de exclusión de 200 metros en torno de la embajada

de Gran Bretaña. Dentro de ese perímetro, todo súbdito argentino
será declarado persona no grata y tratado en consecuencia.

DIOS SALVE A LA REINA

Mr. Alfred Burnett, embajador de Gran Bretaña

El cónsul se quedó un rato inmóvil, con la mirada fija
en el papel. El era el único argentino conocido en cinco
mil kilómetros a la redonda. Bruscamente se dio cuenta
de que Mister Burnett no volvería a llamar al Chase Man-
hattan Bank para autorizar el pago de su sueldo que llegaba todavía a nombre de Santiago Acosta.

2

Fue hasta el sofá y se dejó caer, abatido, entre los al-
mohadones deshechos. Mientras Estela estaba a su lado,
aún tenía esperanza de escapar vivo de allí, pero cuando
ella cayó enferma y la cancillería no respondió al telegrama que imploraba la repatriación se dio cuenta de que no
podría salir de ese lugar porque ni siquiera tenía un amigo
y su existencia no contaba para nadie. Las veces que intentó
llamar por teléfono en cobro revertido el operador le
respondió que ese número ya no correspondía al Ministerio de Relaciones Exteriores.

Desde que empezó a encontrarse con Daisy en la caballeriza, pensó que al menos alguien contaba los días esperándolo, que era algo más que un funcionario improvisa-
do e inútil de un país que nadie conocía. Pero ahora los
servicios de inteligencia lo habían arruinado todo y Mister Burnett parecía decidido a convertir su desengaño ma-
trimonial en una cuestión de Estado. Bertoldi se dijo que
nunca terminaría de entender la mentalidad británica.

Fue al baño, dejó la carta sobre el lavatorio, y abrió la ducha. Las hormigas habían hecho un agujero en la pared, junto a la bañadera, y formaban una larga fila que bordeaba los zócalos hasta el aparador de la cocina. Había probado todos los insecticidas, incluso uno inglés que Daisy le había llevado una noche a la caballeriza, pero no lograba detenerlas. Iba a meterse bajo el agua cuando oyó que golpeaban de nuevo a la puerta. Por un momento creyó que sería Mister Burnett en persona, pero por la ventana vio a tres negros con el uniforme de la guardia del Emperador y se tranquilizó.

—El embajador de la República Argentina—. El que hablaba leía de reojo un apunte escrito en la palma de la mano.

—Cónsul. A sus órdenes.

—Mister Bertoldi, Fa-us-tino —le costaba pronunciarlo.

—Servidor, oficial.

—Su Majestad está esperándolo.

El cónsul sintió que se le aceleraba el ritmo del corazón y se quedó como petrificado con una mano en el picaporte. Luego fue al dormitorio, a vestirse y advirtió que temblaba. Se preguntó hasta dónde llegaría Mister Burnett y por qué había decidido llevar el asunto ante el gobierno. Mientras se ponía el traje miró a los hombres a través de la puerta entreabierta. El que había hablado estaba parado frente al mapa de la República. Otro observaba de cerca el retrato de Gardel y el tercero montaba guardia en la puerta. Bertoldi limpió los zapatos con una punta de la colcha y volvió a su despacho.

—Su presidente se metió en un lío —dijo el oficial señalando a Gardel.

El cónsul asintió con una sonrisa mientras se colocaba una escarapela en la solapa.

—A su disposición —dijo, y salió sin echar llave.

Viajaron en silencio. El Buick con la bandera de Bongwutsi trepaba por las colinas mientras el chofer discutía

con alguien por un walkie-talkie. El cónsul, apretado entre dos soldados, buscó comprender la situación, imaginar
qué podía haber llevado a Mister Burnett a recurrir al
propio Emperador. Trató de ponerse en su lugar, pero enseguida se dijo que Estela nunca se habría entregado a
otro hombre y desistió de la comparación. Tal vez, pensó,
el inglés sólo buscaba un buen motivo para obtener el
divorcio, o para que la prensa de Londres hablara de él.
Se dio cuenta de que el aire acondicionado le permitía
razonar con más claridad y atribuyó su dificultad para ordenar las ideas a que el aparato del consulado estuviera
descompuesto desde hacía más de un año.

El auto se detuvo frente a una gigantesca escalinata. Un
soldado de pantalón sobre la rodilla saludó a desgano y
abrió la puerta de un tirón.

El Primer Ministro esperaba en la galería, sobre la
alfombra verde y amarilla. Mientras le estrechaba la
mano, Bertoldi creyó verle un reproche en la mirada.

—Supongo que conoce las reglas, embajador.

—No estoy seguro. Es la primera vez que...

—Su Majestad quiere expresarle personalmente el disgusto del gobierno. Cuando estemos frente al trono salu-
de inclinando el cuerpo y quédese con la cabeza baja.
Sólo hablará si el Emperador se lo ordena. De todos modos yo tengo que hacer lo mismo, así que no tiene más
que imitarme. Cuidado al retirarse: no vaya a dar la espalda al trono ni a levantar la cabeza. Retroceda siguiendo la
marca de la alfombra para no chocar con la planta que
nos regaló Monsieur Giscard d'Estaing. Ahora sáquese eso
que lleva ahí.

—Son los colores de la Argentina, excelencia.

—Con más razón.

El Primer Ministro le arrancó la escarapela y la arrojó
al canasto de los papeles.

—Protesto, señor.

—A la salida la recoge, hombre. Vamos.

Atravesaron un corredor y luego dos salones infinitos y desiertos. Todas las ventanas estaban protegidas por barrotes. Se detuvieron ante una puerta custodiada por dos hombres de túnicas verdes y bonetes que terminaban en cabeza de serpiente. El Primer Ministro habló con un secretario y señaló a Bertoldi. El cónsul se dijo que sería mejor negarlo todo. La puerta empezó a abrirse pesadamente y el Primer Ministro lo tiró de un brazo. Bertoldi bajó la cabeza y se vio la punta de los zapatos gastados. La habitación estaba en semipenumbra. Una luz difusa insinuaba las columnas del trono talladas en oro. De reojo, vio al Primer Ministro doblado en dos y más allá un bulldog con un collar de diamantes. Sintió el silencio y la frescura del templo hasta que desde lo alto le llegó una voz ronca y vieja.

—Explíquese, embajador. Yo creía conocer todas las formas de la estupidez humana, pero ésta me deja perplejo.

El cónsul permaneció callado hasta que el Primer Ministro lo sacudió de un codazo.

—Míster Burnett exagera, Majestad.

—*Reuter* y *Associated Press* dicen lo mismo que él —un largo rollo de télex cayó como una serpentina y se enredó a los pies del cónsul—. Son hijos de ingleses, hablan como ingleses, viven como ingleses, ¿qué demonios busca un argentino ahí?

Bertoldi mantenía la cabeza gacha pero levantaba los ojos hasta hacerse daño. Alcanzó a ver unos pies desnudos y viejos apoyados en un pedestal de marfiles. Sintió otro codazo.

—Alivio, señor. Un poco de paz.

— ¡Ah, es una guerra santa, entonces! Sin embargo Mister Burnett pide soldados, no filósofos. Voy a decirle una cosa, embajador: no me disgusta que los ingleses reciban una lección de tanto en tanto, pero al final siempre somos nosotros los que pagamos los platos rotos. Si ustedes siguen en esa condenada isla voy a tener que mandar un batallón y bien sabe Dios que mi gente no ha visto nunca el mar...

—Usted insinúa que...

El Primer Ministro le hundió el codo en las costillas.

—¿Qué tiempo hace allí ahora?

—¿Dónde...? —el cónsul sintió una oleada de calor que le subía por la espalda.

—En las Falkland.

—¡No me diga que...! —el cónsul hablaba en español.

—Hielo, nieve, siempre nos toca lo peor...

—¡...recuperamos las Malvinas!

—¿Qué dice?

—¡Viva la patria, carajo!

El Primer Ministro estrelló el zapato contra una pantorrilla del cónsul que gritaba como un desaforado.

—Sí, parecen inmensamente imbéciles —dijo el Emperador con voz cansada—. Sáquenlo de aquí. ¡Fuera! ¡Que vengan los otros!

Dos hombres lo arrastraron hasta la puerta. El cónsul alcanzó a dar otros tres vivas a la patria y antes de que lo sacaran escaleras abajo pudo oír que el Emperador se sonaba ruidosamente la nariz.

3

Calles prolijas, canales mansos, un lago cristalino. La primavera que asoma en las macetas que adornan los balcones. ¿Qué podía importarle a Lauri esa ciudad si era un azar, un cruce de caminos, un punto de fuga?

Mientras pasaba por una callejuela solitaria, de puertas cerradas, jugó a imaginar que Zurich no había cambiado

desde los tiempos en que Lenin tomó el tren para
atravesar Alemania y sublevar Petrogrado. Cuando llegó a
la estación algo apareció en su memoria: "Sí... pero Lenin sabía adónde iba".

Fue hasta la plaza del ajedrez, se detuvo un par de
veces a observar las caras de los que meditaban una jugada y continuó por un sendero de baldosas desierto e impecable. Atravesó el puente y se agachó en la otra orilla
a mirar los cisnes que se le acercaban deslizándose sobre
el agua. De cuclillas al borde del lago, pensó que tal vez
Lenin salía de su casa por las mañanas con un pedazo de
pan para ellos y un libro (¿cuál?) para leer en el silencio
de la plaza.

Pero Vladimir Ilich estaba terriblemente muerto y
Lauri se había dejado ganar por la melancolía. Parado al
borde de la vereda, miró a la mujer que dirigía el tránsito.
Cuando vio el gesto invitándolo a cruzar, sintió una vez
más el peso de ese mundo aséptico y calibrado, tan lejano
al suyo. Tomó un tranvía y se quedó parado para observar las caras de los viejos que mostraban la indiferencia
cordial de los gerentes de banco. En un cruce de avenidas
advirtió que se había pasado de parada y tuvo que rehacer
a pie el camino hasta el hotel. Caía la tarde y quería
evitar el gentío que abandonaba las oficinas y los negocios. Preguntó al conserje si había correspondencia para
él, y subió los cuatro pisos hasta su habitación. Junto a la pared había varios pares de zapatos para lustrar y un canasto
con sábanas sucias. Lauri fue hasta el baño que quedaba
al fondo del corredor y luego entró en su habitación.

Se tiró en la cama y estuvo mirando las montañas a través de la ventana hasta que se quedó dormido con la ropa
puesta. De repente lo despertaron unos gritos en la escalera: prestó atención, pero no pudo entender lo que discutían porque los hombres mezclaban el inglés con otro
idioma, más colorido y rápido. Oyó que se llevaban por
delante los zapatos del pasillo y luego percibió el ruido de

una llave que entraba en la cerradura. Se sentó en la cama
y encendió la lámpara. Afuera la discusión subía de tono
y uno de los hombres empezó a maltratar el picaporte
mientras pateaba la puerta. Era la primera vez que Lauri
oía levantar la voz en Suiza. Del otro lado, uno de los que
gritaban cargó contra la puerta, que cedió con un chasqui-
do de madera astillada. Una sombra torcida trató de
alcanzar la llave de la luz, pero no pudo mantenerse en
equilibrio y se derrumbó en la oscuridad. La mesa se
volcó y la lámpara se apagó al golpear contra el piso. El
caído se quejó, empujó la cama y se golpeó contra algo
duro. En el umbral apareció una figura rechoncha que
tapó la escasa iluminación que llegaba del pasillo.

—Ya ve, Quomo, el mundo es un pañuelo —dijo el gordo, y encendió la luz.

En su cara había una ligera sonrisa de satisfacción. El
borracho se había llevado al suelo la mesa destartalada y
trataba de incorporarse agarrándose de una silla. Un surco
rojo le bajaba por la ceja derecha.

—Lo voy a hacer fusilar —dijo—. Se lo prometo.

Lauri se levantó a ayudarlo. Lo tomó de los brazos y tironeó, pero apenas alcanzó a moverlo. Tenía la piel de un
marrón oscuro y brillante, como las berenjenas.

— ¡Rusos! —gritó el gordo— ¡A quién se le ocurre confiar en los rusos!

Se aflojó la corbata, sacó un pañuelo grande como un
mantel y se lo pasó por el cuello y la papada.

—¿Dónde estaba el pueblo? ¿Dónde? —preguntó y se
dirigió a Lauri que había vuelto a sentarse sobre la cama—. ¡Sólo los ingenuos y los borrachos confían en el
pueblo...!

El otro se tomó de los barrotes de la cama y consiguió
sentarse en el suelo.

—Su vida no tiene misterio, Patik —dijo en voz baja—.
Me da pena verlo así...

Bruscamente. El gordo se inclinó, atrajo al borracho

contra sus rodillas y le habló con una ternura melosa y poco convincente.

—Si usted se dejara de joder con eso del comunismo el mundo sería nuestro, Quomo —dijo, y le dio una palmada en la mejilla. Iba a seguir el discurso, pero el otro lo apartó con un ademán de fastidio.

El gordo lo miró, furioso, y fue a llenar un vaso al lavatorio.

Lauri seguía la escena con curiosidad. El que estaba en el suelo intentó ponerse de pie, pero apenas consiguió quedar en cuatro patas. El gordo se acercó y le volcó el agua sobre la cabeza, de a poco.

—Lo voy a fusilar personalmente —insistió el borracho en un murmullo, mientras tiraba de una sábana para secarse el pelo. El gordo caminó hasta el espejo del ropero, miró la habitación como si acabara de entrar y se ajustó el nudo de la corbata.

—Irrecuperable —dijo, y se volvió hacia el caído—. No ponga los pies por allá, Quomo. Esta vez va en serio, si se nos cruza en el camino se va a lamentar de haber nacido.

El gordo arrojó el cigarrillo al lavatorio y desapareció por el corredor. Entonces el otro negro empezó a ponerse de pie. Había perdido un botón del saco y por la camisa entreabierta se le veía el ombligo. El agua le había enchastrado el pelo corto y enrulado. A lo lejos empezaron a sonar las campanas de la catedral. Lauri le alcanzó una toalla.

—¿Se siente bien?

El negro lo miró de arriba abajo, se secó la cara y fue a echar un vistazo por la ventana. Se tambaleaba.

—Como... ¿éste no es el tercer piso?

—Cuarto.

—Ahora veo. ¿De dónde es usted?

Lauri recogió el botón del saco y se lo alcanzó.

—Argentino, señor. Sudamericano.

El borracho asintió, como si la precisión geográfica estuviera de más. Del bolsillo sacó una petaca y le dio un trago. Observó un instante al argentino como si tratara de descubrir de qué estaba hecho y luego salió al pasillo. No estaba listo para presentarse en sociedad, pero podía caminar solo. Antes de irse miró la cerradura destrozada, levantó el pulgar izquierdo y mostró una sonrisa de dientes perfectos.

—Felicitaciones por lo de las Falkland —dijo, y desapareció por la escalera.

4

Mientras atravesaba la explanada, el cónsul reconoció el Lancia de la embajada italiana que se había detenido frente a la entrada del palacio. Estuvo a punto de acercarse, pero advirtió que el commendatore Tacchi le suplicaba con un gesto que no lo hiciera. Se quedó un momento parado sin saber qué hacer y vio llegar, encolumnados, los autos de todos los diplomáticos occidentales. Una jirafa cruzó por el jardín y fue a perderse en el bosque. Sobre las flores volaban tábanos gordos como corchos. Recordó que la escarapela argentina había quedado en el fondo de un canasto de papeles y volvió sobre sus pasos. Los embajadores rodeaban a Mister Burnett, que fumaba una pipa y hablaba sin parar. La guardia del palacio presentaba armas mientras dos ordenanzas extendían un toldo sobre las cabezas de los blancos. Bertoldi se deslizó sigilosamente por entre las columnas y llegó al hall mientras los otros subían por la escalera principal. A la derecha, frente al óleo con la imagen del Emperador, reconoció la oficina donde le habían quitado la escarapela. Entornó la puerta, miró hacia afuera, y se arrodilló a remover papeles y colillas hasta que encontró la cinta celeste y blanca. La sopló para quitarle la ceniza y volvió a prendérsela en la solapa.

Cuando se puso de pie y se vio en el vidrio de la puerta, se dijo que era el único argentino en ese lejano rincón del mundo y por lo tanto el honor y la dignidad de la patria en guerra dependían enteramente de él. Salió de la oficina erguido, sudando, con la garganta seca, pero colmado de orgullo. Los embajadores ya no estaban a la vista, de modo que bajó por la escalera principal y sintió, sin necesidad de mirarlos, que los guardias levantaban las bayonetas para saludarlo.

Cruzó un jardín adornado por estatuas copiadas de Buckingham y enfiló por la ruta desierta. El asfalto se estaba derritiendo, pero el cónsul sabía que era peligroso salir a la banquina a causa de las serpientes.

Estaba llegando a una curva, cuando en la ruta apareció un camión de la municipalidad. Era un Chevrolet 47 azul con un solo guardabarros y la cabina llena de parches. Bertoldi se dio vuelta, agitó los brazos y se quedó en medio del camino esperando que se detuviera. El chofer, vestido con una remera de Camel, miró al blanco con curiosidad y le hizo señas de que subiera atrás. Bertoldi dudó un momento y corrió a trepar por la baranda. En la caja iban cuatro peones mugrientos, cubiertos con sombreros de paja. Uno, al que le faltaba una oreja, lo ayudó a subir tomándolo de un brazo. El cónsul fue a apoyarse sobre una pila de caños de cemento y se limpió la cara. Los negros lo observaban en silencio; el más joven le alcanzó una botella de agua y le indicó un cajón donde sentarse.

—Coche roto —dijo el que tenía una sola oreja.

—No —Bertoldi movió la cabeza—. Guerra.

—¿Guerra? ¿Otra vez?—. Los peones se miraron entre ellos, inquietos.

—No, no aquí. Guerra mía —se tocó la escarapela y sonrió al escucharse hablar—. Argentina invadió Malvinas.

Los negros volvieron a mirarse sin entender. El cónsul tomó un trago y dejó que el agua le mojara la cara.

—Yo, argentino. Sudamérica. Británicos rendirse. Islas ahora nuestras.

—¿Sudamérica invadir islas británicas? —los ojos del que tenía una sola oreja parecían a punto de reventar.

—Ingleses huir —asintió Bertoldi.

El peón que hablaba inglés vaciló un momento mientras sus compañeros seguían expectantes cada uno de sus gestos. Al cabo de un momento se dio vuelta y empezó a traducir atropelladamente. Los otros lo interrumpieron varias veces, pero él siguió su relato acompañándolo con ademanes, ruidos e imprecaciones al cielo. Uno de los que escuchaban levantó la pala y la descargó varias veces sobre el techo de la cabina. El camión frenó, sacó dos ruedas del camino y se detuvo en medio de una polvareda. El conductor saltó al asfalto poniéndose el sombrero. El de una sola oreja le habló en su lengua mientras señalaba al cónsul, que se había puesto de pie.

—¿Inglaterra rendirse?

Bertoldi asintió con un gesto solemne.

Los que estaban en la caja empezaron a discutir entre ellos. El que tenía una oreja de menos se acercó al cónsul y le puso una mano sobre el hombro.

—¡Festejar! —dijo, e hizo el gesto de empinar el codo. El chofer, cada vez más excitado, fue hasta la cabina y volvió con la manija del arranque, Bertoldi creyó oportuno señalar que estaba sin un centavo.

—No plata —dijo y tiró hacia afuera los bolsillos del pantalón. Los nativos interrumpieron la charla y lo miraron con desconfianza. Abajo, el chofer daba golpes de manija sin obtener más que un breve carraspeo del motor.

—¿No festejar? —se indignó el más joven.

El cónsul se dio cuenta de que le sería difícil explicar su situación. Levantó la vista y encontró las miradas atónitas de los peones.

—No plata —repitió y volvió a sentarse— ingleses robar

todo. Hubo un instante de silencio hasta que el de la oreja se puso de cuclillas frente al cónsul.

—Firma —dijo, comprensivo—. Paga mañana.

Bertoldi lo miró a los ojos y vio el destello de una sonrisa. Asintió sin pensarlo, como para sacarse el problema de encima. Los negros se pusieron còntentos de golpe y empezaron a dar hurras a la Argentina, y el cónsul tuvo que levantarse a estrecharles la mano por segunda vez.

El chofer dejó la manija en la cabina y les hizo señas para que bajaran a empujar. Bertoldi se incorporó a desgano, pasó una pierna sobre la baranda y echó una mirada al paisaje de un verde intenso, enceguecedor. El chofer dio la orden desde la cabina y todos empujaron al mismo tiempo. El Chevrolet se movió y tomó la bajada. Cuando por fin arrancó con una humareda, el cónsul vio aparecer en la ruta, silencioso como una gacela, el Rolls Royce Silver Shadow de la embajada británica. Desdè la banquina notó que Mister Burnett se volvía para mirarlo mientras encendía la pipa. "Ojalá no se lo cuente a Daisy" pensó, y subió al camión.

5

Poco antes del mediodía, cuando bajó a desayunar, Lauri encontró el telegrama que esperaba desde hacía una semana. Tomó un café de pie y cruzó la plaza del ajedrez en dirección a la prefectura. Esperó en un largo banco de madera entre árabes, africanos y vietnamitas, hasta que oyó su nombre por el parlante. En un mostrador de informaciones le indicaron que el comisario estaba esperándolo.

El comisario era una mujer de unos cuarenta años, pálida, carnosa, con el pelo suelto. A su espalda había una reproducción del *Guernica* iluminada por un pequeño spot. El argentino le dio la mano y se sentó al otro lado del escritorio.

—Las noticias no son buenas, señor Lauri. El resultado del interrogatorio fue considerado negativo.

Abrió la carpeta y recorrió algunas páginas.

—A la pregunta de si militaba en un partido político, usted contesta que no. En el renglón siguiente dice haber participado en huelgas y manifestaciones, pero niega haber llevado armas o asaltado cuarteles. Se le pregunta si ha incendiado automóviles y dice que no, aunque reconoce haber arrojado piedras contra la policía. Eso es lo que dice usted a la comisión.

—Sí, señora.

—Pues bien, el gobierno concluye que si en su país hay huelgas y manifestaciones en las que usted participó sin necesidad de ir armado, eso prueba que la persecución política es inexistente o casi. Por otra parte en la Argentina hay demostraciones a favor del gobierno.

—Eso es por la guerra.

—Señor Lauri, si tanta gente desaparece o es asesinada, ¿por qué todo lo que usted hizo fue tirar piedras a la policía?

—Era lo único que tenía a mano.

—La comisión habría valorado algún acto de resistencia. ¿No es usted comunista?

—No exactamente, señora.

—Comprenderá entonces que reservemos el derecho de asilo a quien realmente lo necesita. Hoy dimos refugio al hombre que le disparó tres balazos a Pinochet.

—No sabía que hubieran herido a Pinochet.

—Está escrito aquí —señaló otra carpeta.

Tenía unos bucles rubios que le caían sobre los hombros y un escote lleno de pecas. Lauri pensó que en otro lugar y en otra circunstancia podía ser una mujer atractiva.

—Lo lamento. Pruebe en otro país —dijo poniéndose de pie—. Puede quedarse cuarenta y ocho horas más en Zurich.

Lauri le estrechó la mano y tuvo la impresión de que la mujer estaba sinceramente apenada por el dictamen de la comisión. Al salir se cruzó con un negro bien trajeado que lo interrogó con una seña, como si fuera a dar examen. Lauri le deseó suerte y volvió a la calle.

Tenía hambre y caminó hacia el Mac Donald de la esquina. En la entrada había un grupo de africanos que protestaba alrededor de alguien que Lauri supuso sería un vendedor ambulante. Se detuvo, atraído por la gritería, y vio a una mujer enorme, vestida con una túnica violeta, que golpeaba con una cartera a un hombre acurrucado contra la vidriera. Una mesa plegable se había volcado sobre la vereda y montones de papeles estaban desparramados en el suelo. Lauri era el único blanco que se había detenido a mirar el incidente. Cuando el negro logró escapar de su encierro, la mujer lo empujó hasta un banco y le cantó cuatro frescas mientras lo sacudía del saco. Entonces Lauri reconoció al hombre que la noche anterior había entrado en su habitación.

Cuando la mujer se fue, se acercó a saludarlo. Tenía tantas marcas en la cara que era imposible saber cuáles eran del día.

—Usted lleva una vida difícil —dijo Lauri, y se sentó al lado. El negro lo miró, desconcertado, hasta que pareció recordarlo de golpe.

— ¡Ah, usted! ¿Le cobraron la cerradura?

—Veinte francos. ¿Qué hace aquí?

—Ayudo a mi gente a encontrar un refugio en este país. No es fácil.

—¿Refugio político? —Lauri señaló el edificio de la prefectura.

—Están cada vez más exigentes. Y peor con los africanos, imagínese.

—Me imagino. Acaban de rechazarme.

—¿En serio? —el hombre pareció recobrar un poco de aplomo—. Seguro que no tenía una buena historia... Me hubiera dicho anoche y le preparaba una. Claro, después todo depende de que usted sepa contarla. Esa mujer no supo y vino a quejarse. No es justo, pero suele suceder.

—¿Cómo es eso?

El negro se paró y fue a recoger las hojas desparramadas por el suelo.

—Déme una mano. Levante la mesa.

Lauri la apoyó contra la pared y se quedó mirando al otro, que iba de un lugar a otro de la vereda juntando papeles escritos a máquina.

—¿Adónde piensa ir? —preguntó el negro.

—No sé. ¿Qué me aconseja?

—Vaya a donde vaya, necesita una historia convincente. ¿Me invita a tomar una cerveza?

—Bueno, pero vamos a un lugar donde nadie lo golpee.

El negro movió la cabeza y sonrió. Había juntado una pila de volantes que apretaba bajo un brazo.

—¿Mi nombre no le dice nada?

—Sinceramente, no.

—Comandante Michel Quomo, fundador del primer estado marxista-leninista de Africa.

Lauri se echó a reír, pero advirtió que el negro lo miraba con sorpresa.

—Está bien —dijo—. Se ganó la cerveza.

6

La zona de exclusión ordenada por Mister Burnett cerraba el acceso al bulevar de las embajadas. Cuando Bertoldi llegó al lugar, al atardecer, estaba borracho y no recordaba cuántas facturas había tenido que firmar antes de salir del bar con los obreros de la municipalidad. Lo que sí tenía presente era que todos habían coreado con él los compases del Himno Nacional Argentino.

En la esquina el cónsul encontró una barrera y el cartel que anunciaba *Argentines are not admitted*. Los guardias británicos salieron de la garita y le hicieron señas para que no se acercara. Indignado, emprendió un largo rodeo para volver al consulado. Mientras caminaba apoyándose en la pared o en los coches estacionados trató de definir una estrategia para responder a la agresión de Mister Burnett. Tenía la mente demasiado nebulosa para evaluar todos los sucesos del día, y las imágenes de Daisy y Estela distraían su atención mientras trataba de esquivar los baches de las veredas.

Ni bien entró en su despacho buscó la carta del embajador inglés, pero desistió de releerla porque las líneas se le confundían y deformaban. Tenía conciencia de que había tomado demasiado y se reprochó su debilidad en un momento tan trascendental para la historia de la patria. Encendió la radio, que todavía estaba pagando a crédito, y sintonizó el informativo de la BBC. Luego se quitó el traje mugriento, y como apenas podía mantenerse de pie, tomó una ducha sin jabón, sentado en la bañadera. Se quedó dormido un par de veces, pero entre sueños alcanzó a escuchar que el gobernador británico había sido expulsado de Puerto Stanley y que en todo el país la gente salía a las calles a festejar la reconquista de las islas. Lo tranquilizó pensar que muchos de sus compatriotas estarían emborrachándose por la misma razón que él, y se preguntó si durante esos años los diarios no habían estado exagerando en lo que decían sobre los militares argentinos.

Desde el día en que llegó a Bongwutsi para hacerse cargo de la oficina de turismo, Bertoldi no tuvo otras noticias de lo que ocurría en su país que las publicadas por el *Herald Tribune*. Más tarde, ya con el cargo de cónsul, dio como ciertas las informaciones para no discutir con los embajadores sobre temas tan irritantes como la política, aunque en el fondo siempre tuvo la sensación de que el *Herald* cargaba las tintas. En sus cartas a Santiago Acosta solía hacer referencias al injusto tratamiento que los periódicos extranjeros daban a la Argentina y el daño que ello podría causar a la tarea de difundir los atractivos turísticos del país. Pero Acosta nunca le respondió, y poco a poco Bertoldi, que todavía se dirigía a él como si fuera su jefe, fue espaciando la correspondencia hasta circunscribirla a los saludos de fin de año.

Santiago Acosta había partido tan silenciosamente de Bongwutsi que cuando el nuevo empleado se presentó en las embajadas de los países amigos, todos creyeron que estaban ante un nuevo cónsul. Halagado, Bertoldi concluyó que no valía la pena desengañarlos, sobre todo cuando a fin de mes en el banco no supieron darle noticias sobre su sueldo y le pidieron que avisara a Santiago Acosta que podía pasar a cobrar el suyo. Fue en esos días cuando hizo las primeras llamadas infructuosas a la cancillería y Estela empezó a mostrar signos de nostalgia y abandono. Entonces, Bertoldi, que nunca había estado en el extranjero, se dijo que la Argentina no podía quedarse sin representante en Bongwutsi y decidió redactar su propio nombramiento.

Para cobrar el sueldo tuvo que acudir a la buena voluntad del embajador de Gran Bretaña, que en su juventud había sido escolta del gobernador de las Falkland. Todos los meses, Mister Burnett llamaba al banco y autorizaba el endoso del giro que llegaba a la orden de Santiago Acosta. Así, Bertoldi y Estela pudieron pagar el alquiler de la casa mientras abrigaban la esperanza de regresar lo antes posible a Buenos Aires. Poco a poco, Bertoldi se fue acostumbrando a presentarse como cónsul, pero cuidaba de no darse ese tratamiento en los informes que envia-

ba por correo al Ministerio de Relaciones Exteriores. Al
cabo de unos meses, el título le era tan familiar como aje-
nas las funciones que implicaba. De todos modos nunca
tuvo noticias de que otro argentino anduviera por las cercanías, ni nadie puso en tela de juicio la legitimidad de su
nombramiento. Ahora, el propio Emperador reconocía su
importancia al recibirlo en el templo y Bertoldi hubiera
querido tener un buen traje para ir a festejar la reconquista de las Malvinas al bar del Sheraton.

Fue a vestirse y puso la marcha Aurora en el tocadiscos. Encendió todas las luces de la casa y abrió las ventanas para que la música se escuchara por todo el barrio.
Afuera, las paredes y el piso conservaban el calor acumu-
lado durante las horas de sol y los vecinos empezaban a
sacar las mesas y las sillas para cenar en la vereda. Bertoldi
empezó a arriar la bandera cantando a todo pulmón. Los
nativos que pasaban por la calle se paraban a mirarlo y
algunos se quitaban el sombrero. De golpe, todas las
luces del barrio se apagaron y el disco se frenó con un
sonido ahogado. El cónsul volvió a su despacho con la
bandera, encendió una vela y se sentó frente a su escritorio.

Se preguntaba cómo responder al embajador británico,
y aunque tenía atolondrado el pensamiento, lo ganó un
incontenible deseo de llevar la enseña de la patria hasta la
zona de exclusión y plantarla allí, como una estaca en el
arrogante corazón de Mister Burnett.

7

Después de la siesta el embajador de Gran Bretaña salió
a recorrer la zona de exclusión para solicitar personalmente
la colaboración de sus aliados. El commendatore Tacchi,

que se había declarado neutral en el palacio del Emperador,
no dejó de señalarle que la decisión comprometía las relaciones de su país con la Argentina, ya que la zona prohibida impedía el libre ingreso del cónsul Bertoldi a la
embajada de Italia. Pero en el fondo, Tacchi se sentía
aliviado de no ver por un tiempo al argentino que siempre
aprovechaba sus visitas para pedirle algo prestado. Por
cortesía, el italiano acompañó a Mister Burnett a visitar
la zona, marcada con banderines de golf, y en el camino
se les agregaron Monsieur Daladieu, Mister Fitzgerald y
Herr Hoffmann.

En la rotonda donde estaba la barrera, la banda escocesa tocó *It's a long way to tipperary* y luego, ante una
señal del embajador, se lanzó con *The British Grenadiers*.
Los nativos que se reunieron en las veredas aplaudieron la
exhibición y aprovecharon que los ingleses habían cerrado el tránsito para seguir la fiesta con sus propios instrumentos.

Durante el recorrido, la banda escocesa repitió *Tipperary* en seis puntos que el inglés consideraba estratégicos:
tres avenidas por las que se accedía al centro de la ciudad,
la torre de abastecimiento de agua, el monumento al
duque de Wellington y la caballeriza abandonada por los
australianos.

Cada embajador iba acompañado por un sirviente que
sostenía una sombrilla y otro que cargaba una conserva-
dora con hielo, whisky y refrescos. A la sombra de la caballeriza, recostados sobre el heno, los embajadores bebieron un aperitivo y evaluaron las informaciones que
habían recibido de sus respectivas capitales. Exponía
Herr Hoffmann cuando Mister Burnett, que removía dis-
traídamente la hierba con la punta del zapato, vio algo
que lo dejó anonadado. Allí, perdido entre la paja seca
del establo, reconoció el prendedor de diamantes que le
había regalado a Daisy para festejar el primer aniversario
de bodas.

Las piedras preciosas brillaban, tocadas por el sol que
se filtraba entre las tablas resecas; Mister Burnett disimuló su desazón y dejó que el alemán terminara el análisis
del conflicto sin siquiera sacarse la pipa de la boca. Luego
se levantó y sugirió regresar inmediatamente al bulevar
para comunicarse con Europa.

Ni bien salieron de la caballeriza, los negros corrieron
hacia ellos con las sombrillas. Los músicos, que descansa-
ban entre el follaje, se pusieron de pie y esperaron órdenes. Mister Burnett se disculpó y regresó al galpón como
si hubiera olvidado algo. Una vez a solas recogió el prendedor y se sacudió la paja que se le había pegado al pantalón. Una luz roja reverberaba sobre la hierba y teñía el
carro abandonado en el fondo del establo. Después, mientras iba hacia la residencia con la cabeza gacha —que los
otros atribuyeron a la preocupación patriótica—, Mister
Burnett recordó que Daisy culpaba de las picaduras que
tenía en el cuerpo a las caminatas del atardecer y a los
baños de sol al borde de la piscina. El commendatore
Tacchi, que caminaba un paso más atrás, lo arrancó de sus
pensamientos tomándolo de un brazo.

—Cuídense, Mister Burnett, los argentinos son medio
italianos y van a pelear hasta que caiga el último hombre.

Con un gesto de disgusto, el inglés miró la mano que
le palmeaba el hombro y se preguntó si no sería la misma
que acariciaba a escondidas a la mujer con la que había
vivido feliz durante más de veinte años.

Daisy amaba la literatura y nadie, entre los blancos,
compartía su interés. Cada vez que el *Times* comentaba
un libro que le interesaba, anotaba el título y le pedía a
Mister Burnett que se lo hiciera enviar por valija diplomática.

La primera vez que vio a Bertoldi y su mujer, en la embajada de Sudáfrica, les habló de Borges por pura corte-

sía y se sorprendió cuando Estela se puso a recitar en cas-
tellano un poema que ella había leído muchas veces en
inglés. La segunda vez, en la residencia del commendatore
Tacchi, Daisy evocó *Emma Zunz* y el cónsul le recomen-
dó *La intrusa*, que había hojeado en la revista de cabina
de Aerolíneas Argentinas. Entonces empezaron a verse
más seguido. Estela mostraba ya las señales de su enfer-
medad y su cara bondadosa parecía estar despidiéndose
del mundo con resignación. Las dos hablaron de Eva Perón, porque la señora Burnett había visto la ópera en
Londres, y desde entonces Daisy se las arreglaba para que
los otros embajadores pasaran por alto el protocolo que
excluía al cónsul de las recepciones por insuficiencia de
rango. A veces, por las tardes, invitaba a los Bertoldi a tomar el té en su biblioteca, y cuando Estela cayó enferma
se acercaba al consulado para hacerle compañía.

Después de la muerte de su amiga, la señora Burnett
siguió invitando al cónsul a la hora del té, pero su marido
aprovechaba para llevárselo al atelier donde construía las
cometas y un día lo hizo correr por todo el bulevar arrastrando una estrella de cinco puntas. Al cónsul no se le
ocurrió pensar que en Bongwutsi no había viento suficiente para remontar barriletes y Mister Burnett y los ordenanzas estuvieron una tarde entera riéndose de él.
Daisy se sintió avergonzada por la crueldad de su marido
y la ingenuidad de su amigo, a quien creía un intelectual,
y cuando se quedaron a solas le puso entre las manos un
volumen en cuero del *Tristram Shandy*. Súbitamente, el
cónsul le dijo que no volvería a visitarla porque estaba
enamorándose de ella y la besó dulcemente, de pie, con
el sombrero colgando de una mano.

Desde entonces empezaron a encontrarse los viernes en
el cementerio. Daisy llegaba un poco más temprano, dejaba una rosa en la tumba de Estela y luego caminaba hasta el panteón de los ingleses. Fingían encontrarse al azar
y conversaban paseando entre los sepulcros de los héroes
de la colonia. Allí arreglaban las citas nocturnas a orillas

del lago y los encuentros en la caballeriza de los australianos. Desde entonces, el cónsul le escribía una carta por semana con la ayuda de un diccionario, describiendo las caricias y las ternuras que le prodigaría en el próximo encuentro.

Convencida de que sus sueños se estaban evaporando con el calor del país y la indiferencia de su marido, Daisy se dejaba llevar por el entusiasmo con que Bertoldi buscaba insuflar aliento a su endurecido corazón. Los arrebatos sobre la hierba le hacían olvidar, aunque más no fuese por unas horas, que iba a cumplir cuarenta y cinco años y que ya no tenía las exultantes ilusiones del tiempo de los Beatles.

Precisamente de eso estaba hablándole a Bertoldi la noche en que extravió el prendedor. Ganada por la nostalgia, recordaba sus escapadas adolescentes a los conciertos de Liverpool y, como cerraba los ojos y el cónsul le besaba los pechos, no advirtió que el broche de diamantes caía entre el pasto, junto a la linterna que despedía una luz temblorosa.

8

Fueron caminando en silencio por la orilla del lago hasta que llegaron a una cervecería con mesas en el jardín. Quomo indicó un lugar bajo la pérgola y se sentó con cautela, como si la silla estuviera ocupada.

—Aquí se encontraban Lenin y Trotsky —dijo, y pidió dos cervezas—. En ese tiempo éste era un país hospitalario.

—¿No los obligaban a contar historias?

—Eran blancos... Los negros tenemos que contar cosas de negros.

—¿Y se las creen?

—Depende. Ayer conseguí colocar a Amos Tutuola, el
mecánico del Emperador.

—¿Hay un Emperador en Bongwutsi?

—Un patán que dejaron los ingleses. El mecánico éste,
ni bien supo que el Emperador salía de paseo, le dio una
serruchada a la dirección del Bentley, pero con tanta mala
suerte que la barra se rompió antes de entrar en el camino de
cornisa... El infeliz tuvo que esconderse en la selva y anduvo caminando sin rumbo seis semanas hasta que llegó a
la frontera. Trabajó ocho meses en Tanzania, pero al fin
una patrulla lo agarró sin documentos y lo mandó al frente de Ougabutu. Peleó cincuenta y seis días hasta que lo
hirieron en la cabeza y cayó en manos del enemigo. Ya
sabe cómo tratan en Ougabutu a los prisioneros, así que
cuando vieron que Tutuola no era soldado de Tanzania
lo tomaron por mercenario. Lo torturaron quince días seguidos y lo mandaron a abrir la ruta transelvática con los
condenados a trabajos forzados. Yo conozco eso y le aseguro que es un infierno. Se quedó allí hasta que en una
pelea mató a un egipcio de un machetazo y lo sentencia-
ron a muerte. Ahora vea usted qué cosa: la tarde antes del
fusilamiento se descubre que el egipcio planeaba una fuga
masiva que se desbarata con su muerte, y el comandante,
como ejemplo, le perdona la vida a Tutuola y lo toma como mandadero. Una noche, algo tomado, se va a dormir
con él y después de una semana de verse a escondidas le
declara su amor y decide desertar para llevárselo a
Europa. A la primera oportunidad suben a un helicóptero
de la empresa soviética de cooperación y en el viaje ame-
nazan al piloto y lo obligan a volar hasta el Zaire. Apenas
pasan la frontera tienen que bajar para reabastecerse de
combustible y allí el piloto les dice que también él quiere
pedir asilo en Occidente. Durante diez días vuelan a ras
del suelo para no ser detectados por los radares. Cargan
combustible en cualquier estación de servicio y así llegan
a los suburbios de Rabat. El estúpido del comandante se

presenta de inmediato a la policía para pedir asilo político, pero los marroquíes no quieren líos con Ougabutu y lo entregan a la embajada soviética acusándolo de haber robado un helicóptero. El agregado militar ruso, que se ve venir una maraña de trámites y papeleos, lo hace fusilar en el sótano y Tutuola se queda sin protector. Entre tanto, el piloto se mete en la embajada de Canadá y dicen que ahora tiene un criadero de pollos cerca de Winnipeg. El pobre Tutuola vagabundea por las calles de Rabat hasta que conoce a una joven suiza que se apiada de él y le compra ropas de blanco y un buen reloj y lo aloja en el Hilton. Esta muchacha estaba de amores con un militante del Frente Polisario, así que le consigue un pasaporte de la República Popular de Benín que tiene grabados la hoz y el martillo sobre fondo rojo. Entonces Tutuola corre a la embajada de Alemania Federal, dice que se presenta a elegir la libertad, y enseguida le dan buena comida y un dormitorio para él solo. Pero claro, los alemanes son desconfiados y lo mandan a Bonn para ver si no se trata de un agente comunista. Entonces Tutuola sube a un tren a una hora de mucho tráfico y llega a Zurich con una carta de su protectora que atestigua haberlo conocido en situación difícil. Por un tiempo trabaja clandestinamente como peón de mudanzas, hasta que me encuentra a mí. Entonces en un par de días armamos el discurso; él va a la oficina donde estuvo usted, les cuenta la historia y los deja con la boca abierta. Le otorgaron una beca para estudiar informática o algo así.

—¿Le dieron refugio con esa historia?

—Naturalmente. Tiene la herida en la cabeza, tiene fotocopia del pasaporte de Benin, tiene una amiga suiza que dice haberle comprado ropa en Rabat. Pero sobre todas las cosas es un tipo convincente. En cambio, esa mujer que me vino con el reclamo no lo era. La historia que le di era mejor que la de Tutuola, pero no supo contarla.

—¿Y usted qué gana con esto?

—Plata, nada. Retomo el contacto con la gente que me puede apoyar cuando vuelva a tomar el poder.

—¿Va a hacer una revolución en Bongwutsi?

—Sí, pero no acepto más consejos. La otra vez confié en los rusos y me equivoqué.

—Es lo que le reprochaba anoche su amigo.

—¡Amigo! ¡Un oportunista! ¡Una marioneta de la CIA! Pensar que los rusos no me dejaron fusilarlo...

Lauri hizo un gesto para pedir otra cerveza. En la mesa vecina había una muchacha con la mirada perdida que limpiaba los anteojos con un pañuelo. Tenía el pelo muy corto, teñido de distintos tonos de naranja y unos pechos en punta que se le veían por el escote.

—¿Tuvo la oportunidad de hacerlo fusilar? —preguntó Lauri. Quomo sonrió y miró a la muchacha.

—Claro que la tuve. Ese imbécil estaba casado con la hija del Emperador y cuando estaba borracho la golpeaba como un salvaje. Varias veces le llamé la atención. y el propio Emperador me pidió que lo matara, pero los rusos decían que había que aguantárselo porque era el contacto con los servicios franceses. Ahora anda metido con ellos en un golpe de Estado y me. quiere embarcar a mí. Pero lo que yo quiero es levantar a las masas y terminar de una buena vez con la farsa.

—¿Y cómo piensa hacerlo?

—Está todo planeado —se puso un dedo sobre la frente—. Lo tengo aquí, paso a paso.

Terminó el segundo porrón de cerveza y miró el lago que iba cambiando de color mientras avanzaba la tarde.

—¿Va a ir a pelear? —preguntó—. Parece que los ingleses mandan la flota.

Lauri sonrió y pinchó la última salchicha.

—No, ésa no es mi guerra. Ahora busco un rincón para pasar un tiempo tranquilo. Ya me echaron de Holanda, Alemania y Bélgica.

—¿Ha usado armas?

—Alguna vez.

—¿Se lo dijo a la comisión?

—No.

—Hizo mal. A esta gente le gustan las emociones fuertes. Siempre que no se trate de un árabe, yo recomiendo una historia con levantamiento popular. Sobre todo para Africa y América latina. Nunca juegue al intelectual disidente. Eso está reservado para los que vienen del Este, que lo tienen bien masticado. El año pasado yo coloqué un checoslovaco en Francia y un polaco en Bélgica.

—¿Qué me recomienda, entonces?

—Lo de las Falkland nos complica un poco las cosas, pero véame antes de irse. ¿Va a ir a sentarse con esa chica?

Lauri miró a la muchacha de pelo anaranjado e hizo un gesto de desaliento.

—No hablo una palabra de alemán.

—Lástima. Voy yo, entonces. Está sola y no tiene a quién contarle su historia.

Se levantó y por un instante tapó el sol que se ponía sobre las montañas. Tenía una sonrisa ancha y contagiosa, con la que se acercó a la mesa de la muchacha. Lauri pagó y fue a caminar por la costa. Las lanchas parecían flotar a la deriva rodeadas de pájaros. Todo el paisaje transmitía una calma adormecedora. En alguna parte Lauri había leído que la ciudad estaba edificada sobre galerías abarrotadas de oro y le pareció lógico que no lo quisieran allí. Entró en un supermercado y compró queso y pan envasado para comer por la noche. Al salir vio a una mujer que arrojaba el envoltorio de un caramelo en un cesto. Todo parecía en orden y Lauri pensó que el único cuerpo extraño en Zurich era el suyo.

9

Al amanecer, cuando el sol entró por la ventana y empezó a calentarle la nuca, el cónsul se despertó y buscó la botella a tientas sobre el escritorio. Se pasó un papel por la frente mojada y fue a cerrar la cortina. Le dolían los músculos como si hubiera corrido toda la noche. Vagamente recordó que había soñado con su padre y con un río que arrastraba caballos muertos. No había ninguna botella sobre la mesa: los expedientes estaban desparramados, mezclados con diarios viejos y cabos de velas derretidas. Las tripas le hacían ruido y tenía retortijones. Encendió la radio, la llevó al baño y la puso en el suelo, junto al inodoro. La BBC informó que Gran Bretaña preparaba la flota para enviarla al Atlántico Sur. El cónsul se paró, hizo un corte de manga en dirección al aparato, y recién entonces advirtió que se le había terminado el papel higiénico.

Se lavó y fue a prepararse una taza de café. Por la ventana vio pasar el furgón que recogía a los gorilas extraviados y dedujo que pronto caerían las primeras lluvias. El sol asomaba por encima de las colinas y las lagartijas trepaban por los frentes de las casas. Volvió con el café a su despacho y releyó el mensaje de Mister Burnett. Lo sorprendió semejante temeridad, sobre todo teniendo en cuenta que los británicos se habían rendido vergonzosamente y que el pabellón argentino flameaba victorioso en las Malvinas. Le hubiera gustado pedir instrucciones a Buenos Aires, pero ahora debía tomar una determinación por su cuenta y decidió mostrarle al enemigo lo inútil de su resistencia y lo absurdo de su arrogancia.

Dobló la bandera en cuatro y miró el retrato de San

Martín, consciente del riesgo que iba a correr. No sabía si el Libertador habría aprobado su plan, pero estaba seguro de que era lo único que podía hacer en ese momento, sin ayuda y agobiado por la responsabilidad de haber nacido argentino.

Buscó un listón de madera, le sacó punta con un cuchillo y fue al dormitorio a revisar el baúl donde había guardado la ropa de Estela. Le parecía haber visto una medalla de la Virgen de Luján que quería prender junto al sol de la bandera. Sacó una blusa escotada y se arrodilló a hurgar entre los vestidos. Apartó un jean, una pollera muy corta, una cartera marrón y encontró la medalla pinchada en un chal. Toda la habitación se había llenado de un tenue olor a naftalina. Una diminuta bombacha se deslizó entre sus dedos, arrugada como un pañuelo. Bertoldi deslizó una mano por el elástico y se quedó un rato mirándola: se preguntaba si era la misma que Estela llevaba la última noche que hicieron el amor, antes de que ella cayera enferma.

Volvió a poner la ropa en el baúl y se levantó, avergonzado. Durante todo ese tiempo había luchado por alejar los recuerdos eróticos de su vida con Estela. Más de una vez soñó con aquel cuerpo desnudo, delgado, que susurraba entre sus brazos, pero al despertar se sentía tan detestable como si acabara de profanar una tumba.

Fue al escritorio y preparó los símbolos de la patria mientras tomaba el resto de café tibio. Ató la bandera y la envolvió alrededor de la estaca para llevarla sin despertar sospechas. Luego se puso una camisa limpia y cerró la llave del gas, como si fuera a ausentarse por mucho tiempo. Cuando salió a la calle le pareció que el día no era distinto de otros, sólo que podía ser el último para él.

Al ver el cartel que anunciaba la zona de exclusión para los argentinos sintió una mezcla de orgullo y temor. Se había inclinado el ala del sombrero para cubrirse la cara, pero sabía que no pasaría inadvertido. Los soldados controlaban el paso de todos los vehículos y pedían documentos a los blancos que no conocían. Rechazó a un chico que se acercó a pedirle una moneda y se detuvo a estudiar el terreno detrás de un carro de lechero. Se dijo que no tenía sentido entrar corriendo porque los guardias le tirarían por la espalda y ésa no era una forma honorable de morir. Tampoco podía cruzar por la embajada soviética, porque el paredón era demasiado alto y estaba coronado con un alambre de púas. El lechero pasó la barrera sin problemas: Bertoldi advirtió, entonces, que los ingleses no revisaban los baúles de los coches ni las cajas de los carros.

Se ocultó en un zaguán y esperó a que llegara el vendedor de hielo. Tenía un International 29, cubierto por una lona, que avanzaba a paso de mula y se paraba cada veinte metros a bajar la mercadería. Ni bien el conductor entró en un almacén, Bertoldi se metió bajo la cobertura y se agachó detrás de los bloques que se derretían como si estuvieran en un horno. El chico que le había pedido la moneda levantó la lona y se puso a mirarlo con curiosidad. El cónsul le hizo señas para que se alejara, pero el otro se quedó plantado allí, como el enano de un jardín. Buscó en los bolsillos, aunque sabía que no tenía nada, ni siquiera un cigarrillo. Con todo el dolor del alma sacó la medallita de la Virgen y se la alcanzó con un gesto de súplica. El chico se la guardó y salió corriendo.

El camión arrancó y se detuvo en la otra vereda. El hielero sacó la barra que tenía más cerca mientras el cónsul se aplastaba contra el piso. Nunca había estado en un lugar más fresco desde su llegada a Bongwutsi. Avanzaron unos metros más. El repartidor frenó junto a la garita y Bertoldi escuchó la voz de un británico que hablaba del calor. El soldado levantó una punta de la lona, sacó un cuchillo y rompió un pedazo de hielo sin ver que el argentino estaba agachado al otro lado. Cuando entraron al bulevar, Bertoldi se puso de pie ganado por la emoción.

Parado allí, con la bandera apretada en un puño, divisó los jardines de la embajada de Gran Bretaña y decidió que había llegado el momento de cumplir con su deber. Arrojó las barras de hielo a la calle para evitar que pudieran seguirlo con los patrulleros y se tiró, corriendo en el sentido de la marcha. Los soldados oyeron el ruido del hielo contra el pavimento y fueron detrás del argentino, disparando al aire. Los empleados de las embajadas salieron a mirar lo que ocurría y vieron a Bertoldi que esquivaba guardias británicos como en una carga de rugby, mientras desplegaba la bandera y festejaba a gritos. Todos sintieron alguna simpatía por él cuando corría calle arriba, buscando desesperadamente un lugar donde poner la estaca que enarbolaba sobre la cabeza. Un suboficial alcanzó a tomarlo de la camisa, pero Bertoldi zafó y encaró derecho hacia un montículo de tierra que había frente a la embajada de Bélgica. Llegó justo cuando lo tomaban de una pierna y alcanzó a hundir el mástil sin que se le ocurriera nada memorable para gritar en ese momento. Un escocés de barba le dio con el fusil en la espalda y el cónsul se perdió en un revoleo de polleras y botas que lo pateaban sin piedad. No quería quejarse, ni pedir auxilio, y para evitar el dolor fijaba su pensamiento en la cara serena del general San Martín. Un guardia arrancó la estaca y se la tiró por la cabeza mientras otro lo tomaba de una pierna y empezaba a arrastrarlo por el asfalto. En ese momento cumbre de su existencia, Bertoldi apretó la bandera contra su pecho y se encomendó a Dios con la serenidad de un mártir.

Había bastante gente en la calle cuando la garita de la zona de exclusión reventó como un petardo. Las palmeras se sacudieron y una lluvia de dátiles y cascotes cayó sobre el bulevar. Bertoldi advirtió que dejaban de golpearlo y, sentado en el medio de la calle, vio a los británicos que salían corriendo para la esquina desde donde partía una humareda gris. Una alarma empezó a sonar dentro de la embajada británica y enseguida un camión de bomberos y una tanqueta antimotines salieron de la residencia de los Estados Unidos. Bertoldi se sintió abandonado por todos, como si lo suyo no tuviera ninguna importancia. Empezó a alejarse, un poco desencantado, cuando un negro que llevaba una Polaroid le pidió que clavara otra vez la bandera para hacerle una foto.

El cónsul estaba posando junto a la enseña patria, rotoso y dolorido, cuando vio a Daisy, que salía al jardín de la embajada. Su pulso se aceleró de sólo pensar que ella se acercaba a prestarle ayuda. Corrió a su encuentro sin advertir que entraba en territorio de Su Majestad y el único soldado que había quedado en la guardia lo apartó de un culatazo. Daisy gritó que lo dejaran en paz y el embajador de Italia, que pasaba corriendo hacia el lugar de la explosión, empujó al inglés que levantaba el arma. El cónsul aprovechó la intervención del commendatore. Tacchi para arrojarse sobre Daisy y estrecharla contra su pecho. El italiano, alarmado, corrió a poner a salvo a la señora Burnett y el guardia apartó a Bertoldi agarrándolo del cuello. Al fin, Tacchi consiguió levantar en brazos a Daisy, que había perdido un zapato, y la llevó hacia la galería. El cónsul, atropellado por los curiosos, decidió que había llegado el momento de emprender la retirada. El negro de la Polaroid lo alcanzó y le devolvió la bandera con una sonrisa.

—Felicitaciones —dijo, mientras sacaba una libreta de apuntes—. ¿Dónde se las mando?

—¿Qué cosa?

—Las fotos. Recuerdo de guerra —el negro señaló la cámara. En ese momento una ambulancia entró en el bulevar haciendo sonar la sirena.

El cónsul miró al fotógrafo, indeciso, y le dio la dirección del consulado.

—¿Qué pasó allá? —preguntó.

—Una bomba —dijo el negro, como si no le interesara.

—¿Conoce al hombre que rescató a la dama?

Bertoldi asintió, confuso, y nombró al commendatore Tacchi. El fotógrafo le agradeció con una reverencia y fue a dejarle su tarjeta al guardia de la embajada británica.

10

—Le advierto —gritó Patik al teléfono—, usted está tratando con el ser más inhumano y terco del que Bongwutsi tenga memoria. Si sigue frecuentándolo me voy a ver obligado a señalarlo a las autoridades suizas.

—Sólo hemos tomado un par de cervezas juntos.

—Es más que suficiente. El tiempo de una cerveza le bastaría a ese monstruo para desatar un motín en el Vaticano.

—A mí me parece inofensivo.

—Cuando era Primer Ministro mandó amputar el clítoris a cien mil mujeres. No le quedó fama de feminista, créame.

—Hoy vi a una golpeándolo en la calle.

—Pura justicia. No se junte con él si quiere quedarse en el país.

—No se preocupe, ya me expulsaron.

—¿Va a Trípoli?

—No sé. Más bien París, o Madrid.

—¿Puedo verlo esta noche?

—Si quiere... No tengo quién me pague la cena.

—Lo espero a las ocho y media en el reservado del Chien qui Boite.

En la vidriera del restaurante había tres cangrejos que caminaban sobre un piso de algas. Un gato los miraba a través del vidrio y de vez en cuando se lamía una pata, como si se tomara su tiempo. Lauri empujó la puerta del reservado y vio a Patik que tosía en medio de una aureola de humo azulado. Ni bien terminó de entrar, un negro lo levantó de la cintura y lo sentó sobre una mesa con los cubiertos preparados. Sin darle tiempo a protestar, el hombre le estrujó la ropa y volvió a ponerlo en el suelo mientras hacía un gesto negativo en dirección de Patik. El gordo se levantó, tiró una bocanada del cigarro y le tendió la mano.

—Disculpe. Este es un lugar honorable y tenemos que asegurarnos de que lo siga siendo. No se preocupe por él —señaló al que acababa de revisarlo—, es sordo como una tapia.

Se sentaron y el guardaespaldas apretó un botón de llamada. Un jarrón con flores colocado en el centro de la mesa los obligaba a torcer el cuello para verse las caras. El maître tocó a la puerta y entró con una fuente de ostras adornadas con rodajas de limón. Enseguida llegó un camarero con una botella de vino blanco en un balde de hielo y dos platitos con manteca decorada. Patik extendió los brazos hasta dejar a la vista los puños de la camisa abrochados con gemelos de oro, y tomó los cubiertos como si atrapara mariposas por las alas.

—Así que intrigando con Quomo, ¿eh? —dijo, y chupó el jugo de una ostra. El sordomudo le seguía los movimientos con admiración.

Lauri empezó a imitar los gestos de Patik con un tiempo de retraso.

—Le repito que apenas lo conozco.

—Justamente. Si lo conociera ya se habría alejado de él o lo hubiera apuñalado mientras duerme.

—Si lo odia tanto, ¿por qué fue a buscarlo la otra noche?

Patik hizo un gesto desdeñoso al tiempo que colocaba una ostra sobre el pan.

—Lo encontré borracho. Es la única manera de acercársele. Hacía años que no lo veía y tenía una propuesta para hacerle. Pero es terco como una mula.

Lauri se inclinó para verlo al otro lado del florero. Tenía la cara opaca como un pizarrón. En la solapa llevaba un prendedor finito tocado por una perla.

—Yo diría que está bastante castigado —opinó Lauri por decir algo.

—Todavía vive, y eso es mucho decir. En Bongwutsi lo fusilaron y ahí anda, como si nada. Se escapó cuatro veces de la cárcel y cuando los rusos le hicieron un proceso por trotskismo fueron los jueces los que terminaron en la cárcel. Entonces cometió el error de confiar en ellos. ¿Sabe lo que hizo ni bien tomó el poder? Convocó al Emperador y su familia y les anunció que había llegado la hora del proletariado. Yo miraba a esos zaparrastrosos por la ventana y tuve que contenerme para no soltar la risa. ¡Proletariado! Ese rejunte de rufianes analfabetos le tiene más miedo al comunismo que yo al cáncer. Pero entonces había que callarse la boca porque esos imbéciles se creían la reencarnación del Che Guevara. Usted también es de los que creen que murió como un héroe, ¿verdad?

—Digamos que eligió una manera digna para terminar sus días.

—Pobre infeliz, lo dejaron solo en Haití, muerto de hambre...

—Bolivia.

—Eso. Yo lo respeto, no crea. El tipo murió por sus ideas, ¡pero las imitaciones...! Eso es como la historia del Rolls, ¿manejó alguna vez un Rolls Royce?

—Nunca.

—Ahí está. En este mundo la abundancia de comunistas está en relación con la escasez de Rolls. Alcánceme la botella.

Lauri llenó la copa. El gordo hizo un esfuerzo para arrancar la última ostra sin ensuciarse la camisa y salió airoso. El camarero se precipitó a cambiar los platos y juntó las migas con un cepillo. El maître acomodó las flores y puso sobre la mesa un pato deshuesado con salsa de crema. Patik señaló una cosecha de tinto e hizo un gesto para que se llevaran el balde del hielo.

—¿Sabe lo primero que hicieron los rusos cuando Quomo tomó el poder? Le regalaron un Rolls que después resultó falso.

—¿Cuándo lo descubrieron?

—Mucho más tarde, cuando llevó de picnic al embajador británico con su esposa y el coche se descompuso en plena selva. Hacia un calor de mil demonios y Quomo empezó a reprocharle al embajador la propaganda capitalista en torno a la infalibilidad del Rolls. El inglés estaba colorado de vergüenza y se deshizo en excusas hasta que levantaron el capó y encontraron que el coche tenía un motor Lada de lo más ordinario. Estuvieron tres días comiendo frutas silvestres y tomando jugo de coco hasta que los avistaron desde un helicóptero. Encima la mujer del embajador estaba con la menstruación y las picaduras de los insectos la habían afiebrado hasta el delirio. Cuando volvieron a la capital Quomo estaba loco de ira y humillación y ordenó que devolvieran el falso Rolls a los soviéticos con una carga de trotyl en el sistema de encendido, de manera que los rusos tuvieron media docena de bajas y se quedaron con la sangre en el ojo. Unos días después lo citaron al Kremlin con la excusa de entregarle un auto de los buenos y un millón de rublos para el desarrollo de la agricultura. Fue ahí que le hicieron juicio por trotskismo. Pero, claro, lo dejaron hablar y toda la corte fue a parar a Siberia.

—¿Y usted qué hacía en ese tiempo?

—Yo estaba casado con la hija del Emperador, así que no se animó a tocarme. Cuando empezaron a llegar los

asesores soviéticos las cosas se pusieron feas para la gente
que tenía tierras, pero se puso peor para los comunistas.
Los ingleses y los franceses protestaban, pero el Emperador los convenció de que antes de echar a los rusos había
que dejar que acabaran con los marxistas. Ahí teníamos
prochinos, trotskistas, albaneses, socialdemócratas, nacio-
nalistas, tribalistas, de manera que los soviéticos pusieron
un poco de orden, y Quomo se fue metiendo la soga al
cuello con sus llamados a incendiar el país en nombre del
leninismo. Para colmo hizo la reforma agraria en la estación de las lluvias y la cosecha de café se pudrió completa
y el algodón llegó mojado a Europa.

—En toda revolución se cometen errores —dijo Lauri y
empujó el último bocado con un trago de vino.

—Es que la revolución es en sí misma un error, señor
mío. Felizmente los ingleses y los americanos se pusieron
de acuerdo con los rusos y una noche organizaron una
operación comando para liquidarlo de una vez por todas.
Se lo llevaron al medio de la selva para fusilarlo, pero co-
metieron el error de dejarlo grabar un mensaje de despe-
dida que se copió de una carta del Che. Su fuerte es la
tosudez, no la imaginación.

—Yo me había hecho otra idea...

—Cuidado. Si usted va a enfrentar a los ingleses no haga
acuerdos con ese hombre. Avise a su gobierno. Fíjese que
antes de que lo fusilaran, cuando lo largaron en un descampado y empezaron a preparar las armas, se puso a hablar, a gritar viva el socialismo, viva el proletariado y
todas esas estupideces y no había manera de pararlo. Cantaba la Internacional y no podían bajarle el brazo para
atárselo a la espalda, de modo que el oficial ruso, que era
un sentimental, se negó a dar la voz de fuego. Así estuvieron tres días y tres noches, esperando a que se callara o
que cambiara de discurso, que pidiera por Dios, o por su
madre, algo que permitiera fusilarlo sin remordimientos y
sin riesgo de que pasara a la historia. El oficial contó

después, cuando le formaron tribunal militar en Kabul, que parecía tan sincero como el propio Lenin, y que todos tuvieron la impresión de que se estaban equivocando de persona, así que llamaron al Kremlin para consultar, pero nadie quiso hacerse responsable. Durante todo ese tiempo Quomo estuvo gritando cosas como viva la resistencia popular, comunismo o muerte, arriba los explotados del mundo, y al cuarto día empezó con las marchas rojas de Vietnam y Corea. Cuando se quedaba dormido no había argumentos para convencer a los soldados de que dispararan contra un tipo que hablaba en sueños y contaba historias de resistencia y gestas populares. Ya ve, también los rusos tienen su lado romántico y vaya uno a saber lo que les enseñan en la escuela.

—Lo dejaron escapar.

—Lo abandonaron en la selva, que era como darlo por muerto sin tener cargo de conciencia. Después, cuando Quomo reapareció en Europa, el oficial ruso que incumplió la orden de fusilarlo fue ejecutado en Afganistán por alta traición con retroactividad.

—Yo lo dejé esta tarde en una cervecería conversando con una chica.

—¿Arabe?

—Más bien punk.

—¿Usted va a Trípoli vía París?

—Yo voy adonde me dejen entrar.

—Mitterrand está obligado con los ingleses, por ese lado no puedo prometerle nada. Ahora, si ustedes van a abrir otro frente en Bongwutsi, con Kadafi, eso lo podemos charlar.

—¿Qué frente?

—Vamos, para ustedes la única salida es distraer a los británicos en Africa. Si Quomo ataca allá, van a tener que dividir la flota entre las Falkland y Bongwutsi. Lo que yo necesito saber es si Kadafi está dispuesto a conversar con los moderados. Me imagino que no piensa dejar los intereses del Islam en manos de un irresponsable como Quomo.

—¿Qué moderados?

—Mis amigos y yo, los que queremos una revolución blanca y civilizada. Póngame en contacto con la gente del coronel; por ahora no pretendo que me reciba personalmente, pero quiero hablar. El va a necesitar un tiempito de terror con Quomo, se entiende, pero después tendrá que contemporizar con los aliados. Ahí entro yo. Podemos hacerlo sin enfrentamientos, sin roces, con un acuerdo previo. Todo lo que nosotros queremos es negociar un acercamiento. Avísele. Por supuesto, nada es gratis. Usted dirá.

—¿Qué tienen que ver los ingleses en todo esto?

—Los ingleses lo siguen a usted, naturalmente. ¿No está cansado de que lo echen de todas partes?

—¿Desde cuándo me siguen?

—No se haga el misterioso. Ya es el tercer papel que entrega en las embajadas argentinas. El primero en Bruselas, el segundo en Bonn, el tercero en Berna.

—Son peticiones contra la dictadura. Voy a las manifestaciones y entrego el mensaje.

—Ya sé. Tengo las copias y las estamos decodificando.

—No me haga reír.

—Muy bien, su cena terminó aquí, estimado. Pero no crea que se va a ir de Suiza sin entregarme su contacto.

—La verdad, no sé de qué habla.

—De acuerdo. No le pregunté qué nombre usa en esta misión, pero ya no tiene importancia: cuando encuentren su cadáver me voy a enterar por los diarios.

11

Como las otras casas del barrio, el consulado tenía rotos los vidrios de todas las ventanas. Bertoldi se inclinó a recoger las astillas esparcidas sobre el camino de lajas y se dio cuenta de que estaba más maltrecho de lo que había supuesto en un principio. Le dolía todo el cuerpo y lamentaba que los periodistas no estuvieran allí para transmitir a Buenos Aires la noticia de su asalto contra el enemigo. Fue hasta el mástil y puso la bandera en su lugar. Estaba sucia y tenía algunos flecos, pero imaginó que en el futuro alguien la exhibiría en la vitrina de algún museo como ejemplo de coraje y patriotismo.

El despacho tenía los postigos cerrados y la penumbra le alivió los ojos inflamados. No recordaba haber corrido las cortinas ni tampoco cuándo había comido los huevos, pero las cáscaras estaban allí, apiladas sobre la mesa de la cocina. Su cabeza era un verdadero desorden, un caos de imágenes e ideas que se mezclaban y neutralizaban entre sí. Se desnudó y abrió la canilla para llenar la bañadera. En el espejo se vio la cara manchada de tierra y el cuello salpicado de sangre. Advirtió de pronto que no se afeitaba desde el comienzo de la guerra y que esos días le habían parecido los más largos desde las vigilias junto al lecho de Estela. Se alejó del espejo para mirarse el cuerpo y descubrió que tenía moretones en las piernas y un raspón a la altura de la cadera. Miró el agua que subía en la bañadera y se dijo que no le vendría mal un vaso de ginebra. Fue a la heladera porque le parecía que había dejado una botella casi llena, pero no la encontró. Tampoco estaba en la alacena, ni en el aparador de las cacerolas.

Miró en el congelador, pero sólo encontró un atado de ra-
banitos, una banana ennegrecida y las mandarinas que
empezaban a cubrirse de un moho azulado. Desistió de la
ginebra y se comió la banana de pie, apoyado en la heladera. Después fue al baño, orinó largamente y pensó que en
el canasto de los papeles encontraría algunas colillas para
armar un cigarrillo y fumarlo en la bañadera. Volvió a su
despacho, abrió un postigo y se agachó a revolver en el
cesto. Fue entonces que encontró, junto al escritorio, un
bolso de lona verde y un par de borceguíes. Una puntada
en la rodilla le hizo cerrar los ojos y trató de relacionar
esos objetos con lo ocurrido en las últimas horas. Al cabo
de un momento intuyó que no estaba solo en la casa. Se
levantó sigilosamente y vio, sobre la mesa ratona, un paquete de Benson, un sombrero panamá y la botella de ginebra. Entonces descubrió al hombre que dormía en el
sofá.

Era blanco, de nariz muy grande y barba descuidada.
Tenía el pelo escaso y rubio. En la mano derecha, que
apoyaba en la almohada, sostenía una pistola reluciente
que apuntaba a la cabeza del cónsul. Bertoldi dio un paso
al costado y el caño del arma lo siguió como si obedeciera
a un radar. El hombre tenía la boca abierta y parecía
estar en un sueño profundo. Desde donde estaba parado,
Bertoldi tuvo la impresión de ver la bala en el fondo de la
recámara. Iba a hablarle, pero temió sobresaltarlo y empezó a retroceder hacia el baño. Recién cuando salió al pasillo, el intruso dejó descansar la mano sobre la almohada,
pero sin sacar el dedo del gatillo.

El cónsul se deslizó hasta el dormitorio, volvió con la
radio y la puso en el suelo, frente a la puerta del despacho. El hombre cambió de posición para llevarse la mano libre a la frente y empezó a roncar. El cónsul giró
el dial en busca de alguna música estridente hasta que se
detuvo, sin proponérselo, en la emisión de Radio Tira-
na. De pronto, la Internacional brotó del parlante,

apenas deformada por la lejanía de la onda, y el barbudo saltó de la cama como un resorte. Tenía el puño
izquierdo en alto y los ojos desorbitados por la emoción.
Estaba duro como un palo en el medio del salón, con la
pistola en la mano derecha y un crucifijo al cuello. Bertoldi se sentía infinitamente cansado y tenía la impresión
de que nunca más volvería a echarse en una cama. Apagó
la radio y decidió ir a hacerse cargo de su destino.

—¡Embajador, los patriotas del mundo lo saludan!
—gritó el barbudo cuando lo vio llegar. La piel cuarteada
por el sol y los ojos azules, muy bizcos, le daban el aspecto de un fraile bonachón.

—Usted está violando territorio argentino —dijo el cónsul—. Espero que pueda darme una buena explicación.

El otro bajó el brazo, estornudó dos veces y dejó la pistola sobre la mesa. Parecía aliviado. Buscó en el bolso y
sacó un habano de quince centímetros, grueso como un
dedo, y una caja de fósforos de madera. La habitación se
llenó de un perfume dulce y el cónsul tuvo la sensación
de que le acariciaban el paladar con una pluma.

—Quedan pocos hombres de su estirpe, embajador.
Puede contar conmigo.

—Empiece por explicarme qué hace aquí.

—Mire, su política de puertas abiertas es conmovedora,
pero si no echa llave le van a robar hasta las velas.

—Ya me pasó. Lo escucho.

—Mi nombre es Theodore O'Connell, pero está lleno de
irlandeses con ese apellido, así que puede llamarme como
quiera.

Hizo una pausa y tiró una larga bocanada de humo
azul.

—Tengo el honor de solicitar formalmente refugio político en su embajada.

Bertoldi se dejó caer en un sillón.

—Ah, no, se equivocó de puerta, señor mío: esto es un
consulado.

—¿Consulado? Le pregunté a un tipo en el puerto. Por la embajada de la Argentina, pregunté. ¿Correcto?

—Lo siento. Si se corre hasta el bulevar va a encontrar todas las que quiera. La de Suecia es buena.

—Estamos en la misma situación, embajador; ni usted ni yo vamos a poder mostrarnos en el bulevar por un tiempo.

—Cómo, ¿ya se habla de mí?

—Disculpe, creo que se le está desbordando la bañadera.

Bertoldi hizo un gesto de fastidio y corrió a levantar el tapón de goma. El agua empezó a bajar mientras el charco que se había formado en el piso se iba por la rejilla.

—Ya sabe que en un consulado no se puede dar asilo. ¿Tuvo problemas con el gobierno?

—Todavía no. ¿Un cigarrillo?

Hacía rato que el cónsul esperaba el ofrecimiento. Dejó que el irlandés le alcanzara fuego, paladeó el humo y lo tiró por la nariz. Cuando el agua bajó lo suficiente volvió a colocar el tapón y entró en la bañadera. De la repisa tomó un paquete de jabón en polvo y esparció un buen puñado a su alrededor. Después revolvió el agua con un brazo y se fue sentando con cuidado. Le ardían las raspaduras y apenas podía doblar el cuello.

—No se ofenda, embajador, pero usted es el primer diplomático que me recibe desnudo, y el único que conozco que se baña con jabón de lavar la ropa. No lo cuestiono, al contrario, esas cosas hacen más fácil la convivencia cuando el lugar es chico.

El cónsul miró al hombre que estaba apoyado en el marco de la puerta: era más alto que él pero quizá no llegara a los cincuenta años. Era tan bizco que se hacía difícil saber hacia dónde miraba. De vez en cuando arrugaba la nariz, como si fuera a estornudar, pero al fin se contenía y dejaba escapar un carraspeo ronco. Encendió otra vez el habano y fue a sentarse sobre la tapa del inodoro.

—No quiero que piense que soy un tipo pesado, emba-

jador, pero resulta que es muy importante para mí quedarme aquí, ¿sabe? Embajada o consulado, eso es un ava-
tar de la burocracia, qué más da. Lo que cuenta es que usted es un tipo íntegro, que hace respetar su bandera.

—Eso se lo puedo garantizar —dijo el cónsul—, pero sepa que conmigo las amenazas no corren.

—¿Quién lo amenazó? —se alarmó O'Connell— ¿Yo lo
amenacé?

—Me apuntó con una pistola cuando entré a mi propia
casa.

—¡Ah, pero estaba dormido! Olvídelo, es un reflejo...
Se imagina que me toca dormir en cada lugar que si no
ando con un poco de cuidado...

—Perdone la franqueza, pero usted tiene aspecto de
guerrillero.

—No sea tan esquemático...

—Si se queda acá nos van a mandar la policía. ¿Lo había pensado?

El irlandés asintió con un ojo volcado hacia el cielo
raso y otro en dirección a la puerta.

—Bongwutsi es neutral. Simpatiza con Inglaterra, pero
es neutral. Lo escuché por la radio.

—Hay como cincuenta embajadas en el bulevar, ¿por
qué se metió aquí?

—Usted conoce la respuesta, embajador: tenemos el
mismo enemigo.

—Ahora veo: usted es miembro del IRA.

O'Connell elevó los ojos y las manos y estornudó con
un ruido que sobresaltó al cónsul.

—¡Qué fácil es para usted la vida! Si levanto el brazo
soy comunista y si llevo un crucifijo soy del IRA. ¡Hágame el favor!

—Si me disculpa voy a salir de la bañadera.

O'Connell se puso de pie y salió al pasillo. Llevaba el
cigarro entre los dientes y a veces fruncía la nariz.

—El polen me tiene loco —dijo al otro lado de la puerta—. No se imagina la plata que gasto en remedios con esta alergia. Ya me tuve que ir de Filipinas porque arruinaba todas las emboscadas.

Bertoldi se envolvió en una bata desteñida, se peinó y se puso una buena capa de desodorante. Se sentía mejor. Alguien, al fin, le dirigía una palabra de afecto.

—Va a tener que cambiar los vidrios —dijo O'Connell—. Se me fue la mano con la mezcla.

—¿Qué mezcla?

—Al final la garita esa era de lata. De lejos parecía acero del bueno.

—¿Usted se da cuenta en qué compromiso me está poniendo?

—Bueno, yo lo vi en un apuro y pensé que lo mejor sería hacer un poco de distraccionismo.

—¿De qué?

—Distraccionismo; que miraran para otro lado.

—Hágame el favor, salga de mi casa. A ver si piensan que soy cómplice de un subversivo.

—No diga eso; yo le propongo una alianza para defendernos del imperialismo inglés.

—No diga disparates, cómo me voy a juntar con un terrorista.

—Eso no es justo, embajador. Yo no soy ningún mercenario. Cuando le muestre la plata que llevo se va a convencer de que no es la más apropiada para abrir una cuenta en el banco.

—¿Tiene dinero encima? —el cónsul sintió un estremecimiento.

—Para empezar, los vidrios corren por mi cuenta.

Bertoldi aplastó el cigarrillo y se puso a mirar por la ventana.

—¿Está seguro de que nadie lo vio entrar?

—Si me hubieran visto ya estarían aquí. En Europa hice saltar tres embajadas yanquis y siempre le echaron la culpa a Kadafi.

—¿Usted qué quiere de mí? ¿Para quién trabaja?

—Esas son muchas preguntas, embajador. En su lugar yo haría un informe detallado a la cancillería. Después, si rechazan el pedido de refugio yo me voy y tan amigos como antes.

—¿Así que usted también está en guerra con los ingleses?

—Hace seis generaciones que mi familia los tiene a maltraer.

El cónsul concluyó que le sería difícil echar a ese hombre nada más que con argumentos.

—No sé. Si es cosa de un par de días, y usted se hace cargo de los gastos, puedo tirarle un colchón en el suelo. Tampoco quiero que ande diciendo por ahí que soy un insensible. Eso sí, me tiene que entregar el arma.

El irlandés sonrió satisfecho. Bertoldi no pudo establecer si lo miraba a él o a la foto de Gardel que estaba en la pared.

—Esta noche cenamos afuera. ¿Qué le parece?

Bertoldi lo miró con detenimiento. No estaba seguro de que Buenos Aires aprobara su decisión.

—¿Ya estuvo refugiado antes?

—Seis o siete veces. Pero eso tiene que ponerlo por escrito, si no después vienen los líos.

Bertoldi le sacó otro cigarrillo y fue a sentarse frente a la máquina.

—¿Le parece necesario? —dijo, y buscó el papel membretado en un cajón del escritorio.

—No sé a usted, pero a mí me hace falta una copia. No se olvide que a partir de ahora estoy bajo su protección.

El cónsul lo estudió un instante para saber si estaba burlándose de él.

—Oiga, vamos a ir presos los dos.

—Pero no, hombre, no se asuste. Acá estoy bajo pabellón argentino, ¿no?

Bertoldi dejó el cigarrillo en el borde de la mesa y se

levantó a buscar la ginebra. Cuando vio que la botella estaba vacía la arrojó al canasto de los papeles.

—De acuerdo, entonces yo soy el que manda acá. Documentos, por favor.

—Qué necesita.

—Me basta con el pasaporte.

O'Connell recogió el bolso, se lo puso sobre las rodillas y buscó en uno de los compartimentos.

—Quédese con éste que está más viejo.

—Es para anotar el número, nada más.

—No, guárdelo. Cuando uno pide refugio le sacan el documento. Después usted lo tiene que mandar a las Naciones Unidas.

Bertoldi abrió el pasaporte. El cansancio estaba pesándole otra vez.

—Esta foto no es suya.

—Cómo que no es mía.

—Mire, yo no soy de fijarme, pero usted es bizco.

—Es que ahí estoy sin barba.

—No se ofenda, pero la nariz tampoco es la misma.

—Ese es un pasaporte irlandés, embajador. Ahora no vamos a andar discutiendo la calidad de la foto.

—Sí, pero éste no es usted.

—Mister Bertoldi: eso va a las Naciones Unidas.

—Bueno, pero si usted no es el de la foto, ni esto es una embajada, ni yo soy el cónsul, alguien puede empezar a hacerse preguntas.

—Qué importan esos detalles. Acá se viene una muy brava y usted ya demostró de qué lado está su corazón...

—¿Y qué es lo que se viene ahora, Mister O'Connell?

—La República Socialista Popular de Bongwutsi.

El cónsul se quedó callado hasta que terminó de colocar el papel en la máquina. Parecía un autómata.

—¿Me está tomando el pelo?

—¡Ah!, no se habrá creído que los dos kilos de trotyl eran nada más que para ayudarlo a usted, ¿verdad?

—Yo no creo nada. ¿Por qué no se mete en la embajada rusa y me ahorra un disgusto?

O'Connell sacó otro cigarro del bolso y se lo acercó a la
nariz.

—Ya va a ver que tengo una buena explicación para
eso. Vamos, escriba.

12

Mientras volvía al hotel, Lauri trataba de darse cuenta
si Patik estaba jugando con él. En todo caso, pensó, había
comido bien y al día siguiente subiría a un tren escoltado
por dos gendarmes que lo entregarían en la frontera para
recomenzar con los interrogatorios y las huellas digitales.
Estaba cansado y no tenía ganas de hablar con nadie.
Quería encerrarse y pensar, hallarle un sentido a la vida
que había dejado atrás.

Cuando llegó a su habitación encontró la ropa en el
suelo y la cama deshecha. La puerta estaba abierta y alguien había dejado un chicle pegado en el espejo. Se
quedó un rato parado en el medio de la pieza sin saber
qué hacer y sintió que lo invadía un sentimiento de inquietud. Estaba recogiendo la ropa cuando oyó a su espalda una voz conocida.

—Un tipo bien trajeado, pelirrojo —dijo Quomo—. Seguro que va a volver.

Lauri lo estudió un momento.

—¿Usted lo vio?

—Cuando se iba. ¿Por qué no se viene a mi habitación?
Tengo café recién hecho.

—No quisiera molestar.

—Venga, traiga la valija.

Bajaron un piso. En la cama, cubierta con una sábana,
dormía la muchacha de pelo anaranjado.

—Pase —Quomo miró a la chica e hizo un gesto de asombro—. Vino a pie desde Holanda para participar en una marcha contra los misiles. ¿Se da cuenta? De Amsterdam a Zurich caminando... No tiene perdón. Espero que usted no sea de los que les gusta caminar.

—Pierda cuidado.

—Siéntese en la cama nomás; no hay nada que pueda despertarla. Pasamos una noche bastante pobre, pero qué le voy a reprochar si tenía los pies llenos de ampollas.

Sacó dos tazas del ropero y sirvió café de un termo.

—El tipo que le desarregló la pieza es un profesional. Estuvo sentado en la escalera hasta la medianoche. Cuando el reloj de la catedral dio las doce, se paró y se fue. No le importaba que lo vieran. Cuando fui a buscar el café me lo llevé por delante y el hombre se disculpó como un caballero. En fin, usted sabrá.

—¿Se disculpó en alemán?

—En inglés. Una disculpa de Cambridge. De eso entiendo.

—En una de esas me confunden con otro.

—Esa gente vuelve siempre, así que si lo quiere agarrar de sorpresa quédese acá y vigile. De paso me hace un favor.

—¿Qué favor?

—¿Usted estuvo en Cuba?

—¿Por...?

—Necesito un tipo con puntería y que sea de confianza. Usted me dijo que había manejado armas.

—Sí, pero...

—Entonces es la persona indicada. Venga, mire.

Lauri lo siguió hasta la ventana. Era noche cerrada y sólo se veían las luces de la ciudad y las lanchas en el lago. Quomo abrió el vidrio.

—¿Ve el campanario de la catedral, allá?

—Está medio nublado.

—Allá, allá; siga mi dedo, entre el águila iluminada y el cartel de Coca Cola.

—Ah, ya veo.

—¿Distingue la campana?

—Más o menos... Ahora sí, en verde.

—Es el efecto de la luz. Bueno, mire, necesito que haga blanco en la caja amarilla que hay al lado. Con la mira telescópica la va a ver.

— ¡Usted está loco!

—Qué le pasa... Nadie va a escuchar el tiro.

—No, ya tengo bastantes líos...

— ¡Hágame el favor!

—No insista, hoy los negros me tienen cansado.

—Eso no me lo esperaba... ¡Un revolucionario racista!

—Discúlpeme, pero hoy no entiendo nada... Primero me zamarrean en un restaurante, después un tipo me revisa la pieza, y ahora usted me pide que dispare contra un campanario.

—No lo va a hacer gratis, le aclaro.

—¿Ah, sí? Es la segunda vez en la noche que me proponen plata.

—Quién le propuso, si no es indiscreción.

—Su amigo Patik. Me invitó a cenar.

— ¡Me hubiera dicho! Esa persona no es seria.

Lauri miró la cama, donde la muchacha se tapaba los ojos con un brazo.

—En Suiza no se puede disparar contra las catedrales, Quomo.

—¿Quién dijo que no se puede? El ángulo de tiro es bueno y el arma es de precisión. Si tuviera buena vista lo hacía yo mismo y lo mandaba a usted a buscar el paquete.

—¿Qué paquete?

—El paquete con la plata. Hay una cita nocturna en el muelle y alguien tratará de robar el dinero, como en las películas.

—¿Termina bien?

—Depende de usted.

—Yo me voy mañana y no quiero problemas.

—¿Tiene plata?

—Poco más de doscientos dólares.

—Yo le ofrezco irse con veinte mil.

—No me diga. Patik paga cincuenta.

—Está bien, pero déjeme decirle que su lenguaje se parece mucho al de un mercenario.

—¿Dónde está la plata?

—Voy a buscarla mientras usted dispara.

—No creerá que soy tan estúpido.

—Ese es mi problema, no sé cómo convencerlo de mi honestidad. Es más: tengo que llevarme la valija y recién voy a poder darle la plata mañana en París. A usted lo van a mandar a Francia, ¿no?

—Espero que sí.

—¿Qué le parece si almorzamos en el Procope? No se come mal, Robespierre y Dantón iban allí. Rue de l'Ancienne Comedie, ¿lo ubica?

—Suponiendo que dé en el blanco, ¿qué hago con la chica y con el tipo que me sigue?

—Ese es problema suyo. A ella puede llevarla a la estación. Si todo sale bien deshágase del fusil y preséntese en la prefectura. Esto va a ser un infierno y Patik va a venir con su gente. El perjudicado es él.

—Voy a la prefectura y les digo que adelanten mi expulsión... ¡Por favor!

—¡Natural! Les dice que un amigo lo llamó desde París para ofrecerle un trabajo. El amigo se llama Chemir Ourkale, del restaurante La Belle Fleur y pueden llamarlo para confirmar. No es una mala historia.

—Si ese tipo existe...

—Dispare a las tres menos cinco en punto. Ni un segundo antes ni uno después.

Quomo fue hasta el ropero, sacó un maletín y lo abrió sobre la mesa. Envuelto en un paño marrón había un fusil desarmado. Era de un azul oscuro y brillante. El negro empezó a armarlo con movimientos rápidos y seguros.

—¿No es una maravilla? Fíjese qué terminación. Debe ser frustrante fabricar esto: casi siempre se los utiliza una sola vez y enseguida van a parar al fondo de algún lago. Tome, no pesa más que un atado de cigarrillos. Pruebe la mira y dígame qué posibilidades tenemos.

Lauri fue hasta la ventana y apoyó la culata sobre un hombro.

—Alcánceme una silla.

Tiró la campera al suelo, se sentó, y puso el cañón sobre el marco de la ventana.

—Apague la luz.

Apretó un ojo contra la mira y buscó el campanario.

—No es fácil, la caja es chica y está muy oscuro.

—¿Le pega o no le pega? —se impacientó Quomo, y encendió la luz.

—No sé, no puedo asegurarlo.

Dejó el fusil sobre la cama, junto a la muchacha, y se quedó un momento mirando el pezón que asomaba por encima de la sábana.

—Usted no se imagina cuántas cosas dependen de ese disparo, Lauri. Patik va a recibir un millón de dólares que vienen de Washington. Un hombre de los servicios franceses le va a entregar la valija al lugarteniente de ese canalla cuando el carillón dé las tres. Ayer me enteré del asunto y pensé que no sería difícil ganarle de mano si alguien podía hacer sonar las campanas un poco antes.

—No entiendo.

—¿Conoce al empleado de Patik?

—Cuando fui a cenar había un tipo con él. Un sordomudo.

—¡Ese! ¿Se da cuenta, ahora?

—No veo adónde quiere llegar.

—Para ir a buscar la valija, el sordo va a controlar la hora con su reloj. En cambio, el francés va a ir a la cita por las campanadas. Si las hacemos sonar cinco minutos antes, yo me adelanto, recibo la valija y me hago humo antes de que aparezca el sordo.

Lauri se tomó la cabeza.

—Usted está chiflado.

—¿Por qué?

—Suponga que el francés mire el reloj.

—No. Póngase en lugar del tipo. Está en un auto o en una lancha amarrada al muelle. De pronto oye las campanadas. Mira el reloj y ve las tres menos cinco. ¿Qué piensa? Piensa me anda mal el reloj, no es posible que en Suiza den las tres antes de hora. Toda la industria relojera se vendría abajo. Por las dudas el tipo va al depósito, total el único riesgo que corre es el de llegar un poco antes.

—¿Y el otro? Los sordos oyen vibraciones.

—Sí, pero éste es un tipo obediente. Le van a dar un reloj bien calibrado y por más vibración que sienta va a creer que son las montañas que se derrumban y va a esperar a que se le hagan las tres en punto. Entonces me quedan cinco minutos para desaparecer con la valija. ¿Qué le parece?

—No sé, Patik dice que usted es capaz de cualquier cosa.

—¿Ya le contó la historia de los clítoris?

—Fue lo primero que hizo.

Quomo sonrió y rozó el cabello de la muchacha con una mano.

—¿Y por qué no se la creyó?

—Porque no sabe contarla.

El negro estiró un brazo y le palmeó un hombro.

—¿Almorzamos en París, entonces?

—Si usted lo dice... ¿Dónde queda Bongwutsi?

—Ni siquiera figura en el mapa. Pero desde allí vamos a sacudir a los descreídos del mundo.

Sentado al borde de la cama, Lauri discó la hora oficial y dejó el teléfono sobre la mesa. Después de despedirse de Quomo había cerrado la puerta con llave. A cada rato apuntaba el fusil hacia el campanario para familiarizarse con el blanco. A su lado, la muchacha dormía plácidamente abrazada a la almohada. El argentino la miró de cerca: tenía unos pechos muy blancos, parados como vigías. Afuera, la ciudad era un friso cruzado de luces y las torres de la catedral se alzaban sobre los techos, iluminadas por los reflectores.

Mientras se acercaba la hora, trató de acostumbrar la vista a la mira. Podía ver la caja brillando junto a la campana, aunque no alcanzaba a distinguir sus contornos. Pensó que se estaba embarcando en una locura, pero al fin y al cabo los sueños de Quomo eran como un fantasma de sus propios sueños, y esa noche era la prolongación de otras noches. La voz del teléfono entraba en la cuenta regresiva. Apoyó la culata en el hombro y hundió el ojo derecho en el visor. Cerró el dedo suavemente sobre el gatillo y por un instante el mundo fue para él esa vaga mancha amarilla fijada en su retina. Contuvo la respiración, tensó los músculos y disparó con un movimiento corto y seco.

Las campanas sonaron tres largas veces mientras Lauri dejaba caer su cabeza sobre el fusil. Las sienes estaban a punto de estallarle. Una sonrisa le iluminó la cara y miró de reojo a la muchacha que se había sentado en la cama.

—Será en Africa —dijo—, pero venceremos.

13

—...por lo que el señor Theodore O'Connell se manifiesta fervientemente solidario con la República Argentina en su disputa con Gran Bretaña y acude al consulado sito en la capital del Imperio de Bongwutsi, por mí atendido, con el propósito de ponerse al servicio de nuestro pabellón nacional y tomar las armas si fuera necesario para defender nuestra soberanía, como lo haría todo hombre de bien amante de la libertad y los ideales sanmartinianos. Al amparo de esta sede diplomática expresa que desea adoptar la nacionalidad argentina y residir en el futuro en territorio de la República, si le fuera posible en las recientemente reconquistadas islas Malvinas, jurando obedecer y defender nuestra Constitución y, agrega, los valores de la santa Iglesia Católica a la que dice pertenecer. Visto y considerando lo antedicho, la autoridad argentina en Bongwutsi le otorga el derecho de asilo por causa de persecución política y religiosa por parte de las autoridades británicas las que, dice, son indignas de considerarse civilizadas por el atropello colonial cometido contra nuestra Patria y por la ocupación a sangre y fuego del territorio del Ulster. Firmado: Faustino Bertoldi, a cargo del Consulado General de la República Argentina en el Imperio de Bongwutsi.

—Perfecto. Ahora saque fotocopia de todo y entregue el pasaporte a las Naciones Unidas. Mándelo por correo, así evitamos discusiones.

—Justamente, voy a necesitar estampillas. ¿Usted no me prestaría cinco o diez libras...?

—Hay libras y dólares. Las libras están bastante bien hechas, pero a los dólares habría que arrugarlos un poco.

A nosotros nos mandan los de las últimas planchas, cuando se van quedando sin tinta.

—Insisto: si todo es falso vamos a tener problemas.

—Apréndase esto, Bertoldi: "Ya no se trata de comprobar si una ecuación es verdadera o falsa, sino de saber si es agradable o desagradable a la policía, útil o inútil al capital."

—¿Y eso qué es?

—Una observación de Marx.

—Pero cómo, ¿no me dijo que era católico?

—Lo cortés no quita lo valiente. Si todo sale bien usted se va a ir a Buenos Aires en el avión que la revolución le va a expropiar al Emperador. Es posible que le pongamos su nombre a una calle o a una escuela de las que vamos a construir, como usted guste.

—Mire, O'Connell, en la Argentina no simpatizamos con los comunistas, así que le pido que me ahorre esos homenajes.

—Lo que podemos hacer entonces es expulsarlo como agente de la CIA.

—Tampoco exageremos. Yo condeno públicamente al marxismo y a la subversión y ustedes me echan en un avión cualquiera.

—Délo por hecho. Alcánceme el bolso.

Cuando fue a levantarlo, el cónsul tuvo la sensación de que estaba clavado en el suelo.

—¿Qué lleva adentro? ¿Piedras?

—El equipo completo. Como ando sin apoyo logístico tengo que arreglármelas solo.

—Así no va a llegar muy lejos.

—No crea, me las he visto en más feas. En Beirut, cuando rompimos el cerco de los falangistas, hice funcionar seis artefactos en cadena con diferencia de diez segundos. Pum, pum, pum, siempre solito. Eso sí, tengo un cronómetro de la NASA que le saqué a un coronel israelí. Fíjese, vea, un Omega hecho especialmente. Sólo un novato se puede equivocar.

—Pero usted no es un guerrillero solitario, me imagino.

—Ahora estoy con el comandante Quomo. Cada vez que alguien golpea al imperialismo, ahí estoy yo.

—¿Por qué no se va con los rusos, entonces?

—Pregúntele a ellos. Sin ir más lejos, en Somalía íbamos bien, teníamos a los etíopes cocinándose en el desierto, estábamos a un paso del triunfo y ¿qué hacen los rusos? Cambian de política, voltean al emperador en Etiopía y ¡zas!, deciden que el campo popular está del otro lado. El apoyo que nos daban en Somalía se lo pasaron a los etíopes para que nos liquidaran. Claro, los yanquis tuvieron que darse vuelta también, así que nos dejaron al medio. ¿Sabe la paliza que nos pegaron? Los americanos nos apretaban de un lado y cuando cruzábamos la frontera nos agarraban los tanques rusos. Un infierno, no se imagina. Estuve dos meses en las montañas de Eritrea hasta que bajé con unos beduinos al desierto de Sudán. Nunca pasé más sed en mi vida. Hice doscientos kilómetros a pie hasta que me encontré con el comandante Quomo, que me dio un camello y unas naranjas. Entonces nos dijimos: nunca más, basta de rusos.

—Para mí, rusos o chinos, son todos iguales. Muéstreme los billetes.

El cónsul esperó que O'Connell revolviera en el bolso. La impaciencia no alcanzaba a ocultarle un vago sentimiento de culpa. Tomó el billete de cien flamante y se acercó a la ventana para verlo a plena luz.

—¿Cómo sabe que son falsos?

—Por la trama. Además Franklin está como sonriendo ahí.

—Para darse cuenta habría que compararlo con uno bueno.

—No sé. En París me dijeron que Franklin tiene que estar más serio. Los que salen bien se los dan a Arafat o al Frente Saharaui. A Quomo siempre lo tiraron al medio.

—Pero, ¿no lo habían fusilado los rusos? Yo leí en el diario...

—Mentira. Está más joven que antes.

—Los ingleses no van a permitir que vuelva. Ni los rusos, ni nadie, en eso va a haber unanimidad.

—Usted se olvida del pueblo.

—¿Qué pueblo? Si estos negros recién están aprendiendo a cepillarse los dientes...

—Los que me trajeron por la selva tenían adoración por Quomo.

—No se haga ilusiones: al primer cañonazo se desbandan como moscas.

—Bueno, para eso estoy yo aquí.

—¿Para qué está usted, si se puede saber?

—Para que no se desbanden.

—No me haga reír. ¿Para cuándo es su revolución?

—Ni bien podamos comprar el arsenal del ejército.

—Con esa plata va a ser difícil. No son tan imbéciles.

—El comandante va a mandar de la buena, no se preocupe.

—Ustedes están por la dictadura, ¿no?

—Un Estado obrero y campesino.

—Acá, con este calor...

—Por alguna parte hay que empezar.

—Supóngase que me presta un poco de plata para irme. Usted se podría quedar con la casa.

—Es que yo necesito su protección.

—¿Y eso hasta cuándo?

—Sólo unos pocos días. Hasta que la gente se subleve. Después no me va a ver más hasta el día que venga a llevarlo al aeropuerto.

—Yo no lo veo tan fácil.

—Nadie dice que sea fácil y usted lo sabe mejor que yo. Después de todo la guerra la empezaron los argentinos y yo no hago más que colaborar para que los ingleses vuelvan a su casa con la cola entre las patas.

—Sí, pero las Malvinas están lejos...

—No se puede ganar allá si no ganamos acá, Bertoldi. En cuanto a su metodología... El sistema kamikaze tiene un lado heroico, no lo voy a negar, pero también hay que ver los inconvenientes: mire cómo lo dejaron.

—Justamente: estoy cansado y quisiera acostarme temprano, así que si me va a invitar a cenar...

—Vamos. Hay que festejar las primeras victorias con humildad, pero con orgullo. Esa gente se va a acordar de usted por mucho tiempo.

14

Lauri empujó la puerta del Procope con la maleta y miró cada una de las mesas de la planta baja. Luego fue hacia la escalera disculpándose en francés cada vez que la valija chocaba contra alguna silla. Durante el viaje, sentado entre dos gendarmes, había pensado que Quomo no estaría allí y que posiblemente no lo vería nunca más. Con el tiempo tal vez leería en un diario la noticia de su triunfo o de su muerte.

Llegó al primer piso y recorrió detenidamente el salón. Había varios negros comiendo, pero no el que buscaba. Bajo el óleo de Voltaire había un africano viejo y flaco que no le sacaba la vista de encima. Lauri miró la hora y se dispuso a esperar un poco. Iba a llevar la valija al guardarropas cuando el viejo se puso de pie y se le acercó. Arrastraba una pierna, pero se movía con soltura.

—¿Mister Lauri?

El argentino sintió que el alma le volvía al cuerpo.

—De parte de la persona que usted busca. Mi nombre es Chemir.

—Mucho gusto —Lauri le tendió la mano—. Ya oí hablar de usted.

—Me llamaron de Zurich, señor. ¿Alguna dificultad?

—No, el papeleo para solicitar el refugio, nada más.

—Entonces todo está en orden. Ahora, si le parece, tenemos que deshacernos del inglés.

—¿Otro más?

—El pelirrojo aquél. Viene detrás suyo. ¿Se enteró de que la flota británica va a bombardear las Falkland?

—¿Ya?

El negro hizo un gesto de desazón.

—Temo que sea muy pronto, señor. Habrá que precipitar todo. ¿Tiene algo irreemplazable en su valija?

—Nada más que ropa.

—Bien. El comandante está en el Georges V, habitación 502. Tome un taxi y avísele de dónde me llevaron. No creo que falte más de dos o tres días.

Sin agregar una palabra se dio vuelta, caminó hasta la mesa del pelirrojo, y le tiró un puñetazo a la nariz. El inglés cayó hacia atrás y con los pies volteó la mesa en la que tenía un Martini recién servido. Lauri dejó la valija y mientras las camareras llamaban a la policía, descendió por la escalera tratando de mantener la calma. Sobre el boulevard Saint Germain detuvo un taxi y se hizo conducir al Georges V. Subió al quinto piso sin detenerse en la recepción. Golpeó con suavidad en la 502 y esperó mirando a los costados para estar seguro de que no lo seguía nadie. Quomo apareció en la puerta envuelto en una bata azul de seda; estaba bien afeitado y olía a agua de colonia.

—Lo felicito —dijo y le dio una palmada en el brazo—. Gran trabajo.

Lauri le devolvió el gesto y entró en la habitación. En uno de los televisores había un programa de juegos y en el otro un informativo. Sobre la cómoda Lauri vio una valija azul sin abrir.

—Excelente puntería —dijo Quomo y fue a buscar una botella de whisky—. Ese campanario sonaba a música celestial.

—¿Salió todo bien?

—Perfecto. El francés vino como si hubiera recibido un telegrama y hasta me pidió disculpas por la demora.

—¿Y el sordo?

—Cuando yo salí estaba en la vereda mirando el reloj. ¿Qué hizo con el arma?

—La envolví en una bolsa de plástico y la tiré al lago. Esta mañana los gendarmes me trajeron en tren. La persona que mandó a buscarme se metió en un lío por golpear a un inglés y me pidió que le avisara.

—¿Lío de qué tipo?

—Le dio un tortazo.

—Lástima, lo vamos a necesitar para preparar el viaje.

—¿Cuánta gente tiene?

—Todo el pueblo está conmigo.

—Gente en armas, digo.

—En armas usted, yo y dos más.

—Pero tropa, con qué tropa cuenta.

—En eso está el irlandés. El va a mover un poco el ambiente allá.

—¿Es un tipo serio?

—Lo encontré en el Sahara. Es el que organizó las columnas de Agostinho Netto, así que es hombre de terreno. Además sueña con la revolución. El proletariado era el único espejismo que veía mientras caminábamos por la arena.

—¿Pero estuvo en alguna?

—De Argelia para acá en todas. Le diría que en tantas como yo. A veces, cuando el sol nos hacía delirar, yo me acordaba de mi madre, de mis hijos, que a muchos no los conozco, pero él sólo veía gente en armas. Nunca me voy a olvidar cuando asaltó el Palacio de Buckingham tirado en una duna, con los ojos desorbitados.

—¿No va a llamar la atención por ser blanco?

—Ya le dije que estuvo con Netto en Angola. ¿Por qué no va a comprarse ropa nueva? Da pena como anda vestido.

—A mí me enseñaron que la ostentación es un vicio burgués.

—No confunda. Un revolucionario es elegante por respeto a los demás, sobre todo cuando prepara la toma del poder y no quiere tener a la policía sobre los talones.

—Es una curiosa filosofía la suya. Esa bata debe costar un dineral.

—Dos mil dólares.

— ¡Dos mil dólares!

—Más otro tanto por el traje y las camisas. Voy a tener que enseñarle algunas cosas, Lauri. Por ejemplo que los buenos revolucionarios podemos empezar vestidos en Cacharel, porque siempre terminamos chapoteando en el barro, mordidos por la carroña, conduciendo una columna de andrajosos que buscan justicia. Estoy harto de burócratas que hicieron el camino inverso. A eso, ve, yo le llamo traición.

15

Con el apagón la ciudad desaparecía bajo las estrellas. Desde los barrios de paja desparramados en las faldas de las montañas, o desde el cuartel de los británicos, instalado en el pico más alto, sólo podían verse brillar las cuatro torres del palacio imperial y el ancho bulevar de las embajadas.

Bertoldi y O'Connell estaban a los postres cuando la electricidad dejó de funcionar, pero los camareros habían dispuesto un candelabro de plata en cada mesa y los clientes apenas notaron el cambio. Un puñado de bailarinas de pechos al aire, con un breve disimulo de plumas bajo el ombligo, se acercó a los clientes para apantallarlos con hojas de palmera.

O'Connell apuró el cognac y tiró a través de la mesa un

puñado de billetes arrugados. El cónsul los recogió y los contó mientras los planchaba con los dedos. Se sentía bien: había tomado una botella de chablis y estaba en el tercer Remy Martin. Cuando vio a las muchachas sintió un calor que le bajaba hasta las piernas y encendió por segunda vez el cigarro que le había convidado el irlandés. Por el vitral se veían los barcos anclados en el puerto, alumbrados con faroles a kerosene, y el contorno de la bahía iluminado por la luna.

—Esto es una inmoralidad —dijo O'Connell y miró a las mujeres con los ojos descarrilados.

—Costumbre del país —respondió el cónsul. Un aire suave, todavía fresco, le llegaba a la cara y empezaba a adormecerlo. Con un gesto llamó al camarero y le dio cuatro billetes de cincuenta libras con el encargo de que preparara una botella de Etiqueta Negra y dos paquetes de Marlboro para llevar. Como oyó que el irlandés suspiraba, molesto, le tiró con una miga de pan y se arrellanó en el asiento para terminar el cognac.

—Creí que no quería darme asilo —dijo O'Connell, despectivo.

El cónsul pensó que al irlandés le hacía falta un baño y también un corte de pelo. El camarero volvió con los cigarrillos, la botella y un vuelto de veintidós libras. Bertoldi guardó el cambio y dejó sobre el plato un billete de diez.

—¿Alguna vez se acostó con una negra? —preguntó y tiró el humo hacia la bailarina que agitaba la hoja con una sonrisa siempre igual. Llevaba dos aros de hueso y un collar de pelo de elefante.

—Y también con árabes, amarillas y esquimales. Pero nunca tuve que pagar.

—No quise ofenderlo. Ahora, que se haya acostado con una esquimal, permítame que lo ponga en duda.

—¿Por qué? Estuve dos meses en el norte de Alaska trabajando en un portaviones. Allí conocí a un criminal compatriota suyo, un tal Carlos.

—Ese es venezolano.

—Bueno, de por ahí. Un tipo terco: quería hacer saltar la aldea entera cuando los yanquis llegaban de franco. Hubo que devolverlo a Trípoli atado como un salame.

—¿Usted estaba en el portaviones?

—No, yo lo tenía que inutilizar. Me llevó dos meses, de ahí que conocí a una chica que vivía en un iglú. La diferencia, Bertoldi, está en la mirada. Es lo único que no se puede maquillar.

—No se me había ocurrido. ¿Es cierto que esa gente ofrece la mujer al huésped, como homenaje?

—No sé, yo la tuve que conversar una semana y sin conocer el idioma.

El irlandés se puso de pie, pasó la correa del bolso sobre la cabeza y recogió el plano de la ciudad que había estado estudiando durante la cena.

—Bueno, tengo que dejarlo. No le molestará que duerma en el despacho, espero.

—Vaya tranquilo. Yo me vuelvo caminando despacito.

Cuando O'Connell salió, el cónsul pidió otro café con cognac y aprovechó para cambiar un billete de veinte. Estuvo tentado de averiguar el precio de la muchacha, pero recordó lo que O'Connell le había dicho sobre las miradas. La joven que lo apantallaba tenía unos ojos blancos y duros como piedras de mar. Bertoldi se preguntó antes de salir si también ella se sublevaría cuando llegara el momento.

Frente al restaurante había varios taxis, pero prefirió remontar la cuesta a pie, por el medio de la calle para evitar los pozos y los tarascones de los perros. Había pasado la jornada más difícil de su vida y mientras caminaba se preguntó si era correcto lo que había hecho hasta el momento. Estaba solo, representando a un país que lo ignoraba, pero a los ojos de todos los embajadores, la Argentina era él. Si no hubiera respondido al desafío de Mister Burnett, la patria sería ahora símbolo de cobardía en todo Bongwutsi. Pero, ¿había hecho bien en cobijar bajo el pabellón nacional a un guerrillero? Concluyó que sí: la generosidad y la grandeza de alma eran las mayores cualidades de los argentinos.

Cuando se acercaba al bulevar de las embajadas vio las barreras que los ingleses habían colocado para desviar el tránsito a cien metros del lugar de la explosión. Dos soldados fumaban y charlaban junto a un jeep del ejército. Para evitarlos tenía que dar un rodeo y caminar varias cuadras de más, pero había comido bien y los tragos le confortaban el ánimo. Volvió sobre sus pasos y fue por una calle sin faroles en la que entraba de lleno la claridad de la luna. Cada tanto brillaban los ojos de un gato mientras el canto de los grillos flotaba, armonioso, en el aire caliente. De golpe, una figura enorme, sigilosa, salió de un corredor que separaba dos casas de madera y lo atropelló haciéndole perder el equilibrio. Para evitar la caída tuvo que agarrarse de un árbol mientras tropezaba con las piernas de un hombre que dormía en la vereda.

Se dio vuelta para disculparse y entonces vio que tenía enfrente un gorila grande como una puerta. El animal se metía un dedo en la nariz y gruñía igual que un perro abandonado. Parado a contraluz proyectaba una sombra que llegaba hasta la esquina. El hombre con el que Bertoldi había tropezado sacudió a dos amigos que dormían sobre unos fardos de tabaco e inició la retirada. El que parecía mejor alimentado se puso en cuclillas e hizo un gesto que pedía calma. "Nbgwana preg, nbgwana preg", decía en voz baja. El cónsul vio que los negros retrocedían muy despacio hacia un camión estacionado junto a la vereda. "Nbgwana preg", repitió el más joven, que tenía una deformación en la cadera y se movía como torcido por un ciclón. Bertoldi fue detrás de ellos, reculando, maldiciendo los zapatos que se le escapaban de los pies. El primero que llegó al camión abrió suavemente la

puerta y se zambulló dentro de la cabina. Los otros dos
lo siguieron, rápidos como lagartos, y cerraron de un por-
tazo. El cónsul se quedó al lado del camión, gesticulando
para que le hicieran un lugar, pero los negros se disponían
ya a seguir durmiendo y el torcido le hacía ademanes para
que se alejara de allí. Bertoldi tiró de la manija sin dejar
de mirar al gorila, pero los negros se abalanzaron sobre la
puerta y la sostuvieron hasta que el cónsul dejó de hacer
fuerza. El mono se había movido tras ellos, imitando su
cautela, pero cuando los vio entrar al camión se enojó.
Fue hasta el paragolpes delantero y lo sacudió hasta
arrancarlo. Excitado, lanzó dos rugidos y. lo estrelló
contra el capó hasta que los vecinos empezaron a asomarse por las ventanas con faroles y linternas. El cónsul seguía allí, inmóvil, sin saber qué hacer. Sacó la botella, tomó un trago, nervioso, y se dijo que lo menos acon-
sejable era echarse a correr. Los nativos hacían comentarios en su lengua, de ventana a ventana, y al rato todos se
volvieron a la cama y la calle quedó en silencio. Bertoldi
advirtió, entonces, que los grillos habían dejado de
cantar. El gorila arrastró el paragolpes sobre el empedrado
sacándole chispas, hasta que reparó en Bertoldi, que
seguía tieso como un monolito. Estaban a dos metros de
distancia y el cónsul podía sentir el aliento del animal. De
la nariz aplastada le salía un moco que se estiraba lentamente hasta cortarse por lo más fino y se renovaba cada
vez que abría la boca y parecía a punto de estornudar.
"Debe estar resfriado", pensó Bertoldi y le tendió la botella. El mono la agarró, la miró de cerca y al ponerla hacia abajo lo sobresaltó el whisky que se derramaba a sus
pies. Desconcertado, le acercó la lengua y la lamió como
si fuera un chupetín. Al cónsul le pareció que sonreía
mientras daba vuelta la botella tratando de averiguar por
dónde salía el líquido. Bertoldi levantó un brazo e hizo
la mímica de beber al seco. El gorila lo miró, interesado,
gruñendo bajito, aspirando los mocos, golpeando estruen-

dosamente el paragolpes contra un guardabarros del camión. El negro que parecía mejor alimentado bajó un poco el vidrio y gritó "gziga dum, gziga dum" y volvió a encerrarse. "Ya me vas a venir a pedir limosna, vos", pensó Bertoldi y siguió con el ademán del tipo que bebe de pie. Al fin, el mono lo imitó, pero una parte del whisky se le deslizó por el brazo. El cónsul lo observó tragar y luego lamerse los pelos con más curiosidad que gusto. Miró a su alrededor, calculando hasta dónde podría llegar si salía corriendo de golpe. Pero el mono ya estaba tendiéndole la botella. Pronunciaba una suerte de "ah" larga y monótona. El cónsul bebió hasta quedarse sin respiración. El animal había dejado de estrellar el paragolpes contra el camión y esperaba, complacido e impaciente. Bertoldi calculó que la botella estaría por la mitad y volvió a ofrecerla. Los movimientos del mono fueron más precisos esta vez. Tomó mirando al cielo, largamente, apoyando el pico sobre los dientes de abajo, hasta que se atoró y empezó a toser. El cónsul recibió una lluvia de baba sobre la cara, pero no se movió. El mono arrojó el paragolpes contra el frente de una casa y fue a sentarse sobre el guardabarros abollado. Al toser hacía un ruido lastimero y la nariz mojaba el piso como una canilla mal cerrada. Bertoldi quiso sacarle la botella, pero el gorila cambió la tos por un rugido y le tiró una patada imprecisa. Estuvieron un momento en silencio, estudiándose. Los tres nativos apoyaban las narices contra el parabrisas del camión y no se perdían detalle. El mono tomó otro trago y entregó la botella. Bertoldi trató de beber sin tocar el vidrio con los labios porque lo sentía húmedo y pegajoso. Cuando devolvió la botella, sintió que todo empezaba a girar a su alrededor y buscó un punto de referencia para mantenerse de pie. Un foco del bulevar lo hizo sentirse de nuevo en la tierra. El gorila chupaba estirando la trompa y movía la cabeza como si se dejara llevar por una melodía. Bertoldi encendió un cigarrillo y empezó a silbar un tango tristón. Se bamboleaba. Pasaron el whisky un par de veces más, mirándose a los ojos y sacándose la lengua. El mono paladeaba las últimas gotas mientras el cónsul arrancaba una y otra vez *Sur, paredón y después,* sin que el siguiente verso le viniera a la memoria. Por fin enganchó *una luz de almacén* y se derrumbó hacia adelante, en brazos del gorila. Estuvieron un rato cabeza contra cabeza, hasta que el animal lo tomó de un hombro, lo apartó medio metro y le mostró la botella vacía. Bertoldi, de rodillas sobre el empedrado, la puso boca abajo y abrió los brazos, apenado. El mono se golpeó el pecho entonando un "ah" distinto, tal vez suplicante, y empezó a desmoronarse suavemente, como una montaña de lana. Su cuerpo ocupaba el ancho de la calle. Estaba boca arriba, mirando las estrellas, jadeando, agitando los brazos como si tratara de atrapar una mosca o de agarrarse a una liana que viene y va. El cónsul había logrado ponerse de pie aferrándose al radiador del camión; patinaba en *nuestra marcha sin querellas por las calles de Pompeya,* hasta que encontró los ojos de los negros que espiaban desde el otro lado del vidrio. Les hizo una mueca de desprecio y se acercó al mono para ayudarlo a levantarse. Hizo fuerza tironeándolo de un brazo, pero también él se fue al suelo y se puso a cantar a toda voz hasta que se quedó dormido. El gorila le dio unas palmadas en la espalda, se levantó a buscar la botella y encaró hacia el bulevar. Caminaba de costado, haciendo eses, levantando las patas endurecidas, y así llegó a la barrera antiargentina. Al verlo llegar, los soldados se refugiaron en la garita y uno de ellos empezó a hablar por teléfono a los gritos. El gorila aplastó la nariz contra el vidrio blindado y lanzó un chillido que parecía de súplica. Levantó la botella vacía, retrocedió trastabillando, y se la llevó a la boca con un enredo de mocos. Cada tanto la tendía hacia donde había quedado el cónsul, como si reclamara compañía. Estuvo así un rato largo, vacilando, igual que una palmera en la tormenta, hasta que estrelló la botella contra la garita. Después salió a la deriva, pateando cascotes, y llegó hasta un boquete que conducía al patio de la embajada británica.

16

—Parecés un príncipe, Michel —dijo la mujer del monóculo mientras contemplaba a Quomo con una sonrisa fija, llena de arrugas y colorete. Los labios eran tan rojos y los párpados tan azules que el resto de la cara se le esfumaba detrás del lente. Lo que dijo atrajo la atención de un hombre alto y corpulento que tenía la cara como una suela de zapato. Lauri calculó que veinte años atrás había sido una mujer hermosa y terriblemente snob. Inclinaba la cabeza para mirar por el monóculo, como si realmente lo necesitara. El hombre de la cara marrón contemplaba con melancolía la llovizna del atardecer. Cada tanto, como si fuera un tic, levantaba las dos manos a la altura del pecho y se miraba los puños almidonados. Sobre un sillón estaba echado un gato ciego. Era de un gris claro y suave y tenía los ojos entrecerrados. Quomo se agachó frente a él y le tocó los bigotes. El animal se levantó y lo acarició con todo el cuerpo.

—Ah, viejo Saturno —susurró Quomo—, mi buen oráculo, no me guardes rencor.

Luego le pasó la mano por la cabeza y se volvió hacia el argentino.

—Este me siguió en unas cuantas batallas, pero ya no está para esas andadas. Cuando Khòmeini nos echó de Teherán fue el último en salir. Mire qué perfil.

—Ya casi no come —dijo la mujer del monóculo.

Quomo le acercó la cara y contuvo la respiración. El gato se levantó, atento como si contara las gotas de la llovizna sobre el jardín, y le acercó el hocico a una oreja.

—¿Ves, Florentine? Me dice que volveremos a vernos. Tampoco ésta será la última vez.

—¿Por qué viniste? Empezaba a olvidarte...

Hablaba con un lejano acento eslavo y Quomo parecía a punto de soltar una lágrima.

—Qué fácil se dice eso, Florentine. Olvidar. ¿Acaso ese infeliz consiguió que me olvides?

El hombre de la cara marrón dejó de mirar a través del vidrio y se movió hacia el negro para mostrar su dignidad herida. Los movimientos eran forzados, como si repitiera una comedia de la que conocía el final. Florentine hizo un gesto imperioso con los dedos y el hombre se detuvo a mitad de camino. Lauri lo vio sacar una cigarrera de oro y lo imaginó tomando Martinis y bronceándose al borde de una piscina.

—¿En qué sueño vas a meterte ahora, Michel? —dijo ella, compungida, y puso la mano para que el hombre le colocara un cigarrillo entre los dedos. El bronceado le dio fuego y ella besó a Quomo en una mejilla.

—Feliz cumpleaños —susurró, y se le achicaron los ojos.

—¿Ves que te acordás? Con lluvia. Dónde sea, pero con lluvia...

—Ya vienen las chicas, Michel.

—No me importan las chicas. No esta vez. Quería verte. Este amigo va a acompañarme en un largo viaje, Florentine.

—¿Cómo están tus hijos?

—No sé, no he vuelto a verlos. ¿Está abierta la mesa?

—Para una sola bola.

—De acuerdo.

Fueron detrás de la mujer, que caminaba lentamente con la espalda agobiada. Saturno subió las escaleras a los saltos, con la cola levantada. Lauri se volvió a mirar los espejos y los vastos ambientes desolados y tuvo ganas de salir de allí. El hombre de cara marrón corrió la tela que cubría la mesa e hizo girar el disco con un gesto profesional. Tenía la cara tensa y se miraba los puños de la camisa.

—¿Cuánto, Michel?

—Diez mil dólares.

—Es mucha plata.

—Si la casa no responde...

—Siempre te respondió.

—El dieciocho.

Florentine hizo un gesto y el hombre arrojó la bola. Lauri sintió que la respiración se le aceleraba. Hizo unos pasos silenciosos y se acercó mientras la bola daba los últimos saltos.

—Colorado el dieciocho —dijo el hombre con voz amarga.

Florentine se llevó la mano a la cara con un movimiento interminable y se quitó el monóculo. Tenía la mirada perdida en algún punto de la pared.

—Ojalá te dure la suerte —dijo.

Hizo un gesto al hombre bronceado y éste abrió la caja fuerte. Contó una pila de francos franceses y se los alcanzó a Lauri, que los guardó en un bolsillo del saco. Florentine caminó alrededor de la mesa y extendió un brazo. Quomo la tomó de la mano y fueron hacia la escalera. Ella recostó la cabeza sobre el hombro del negro y bajaron muy despacio, sin hablarse. Lauri se demoró un momento para tomar distancia. El otro cerró el cofre e hizo girar de nuevo el tambor de la ruleta.

—No lo envidio —dijo, y se mordió los labios.

—¿Hace mucho que lo conoce?

—Viene cada dos o tres años a remover las heridas. Alguna vez pensé en matarlo, pero no vale la pena; otro se encargará de hacerlo. Trate de estar lejos, porque no van a tirarle con un simple revólver. ¿De dónde sacó la plata?

—No sé, no soy de preguntar.

Cuando volvieron al salón de los espejos los encontraron abrazados. Quomo le acariciaba los cabellos y hablaba en voz muy baja. Saturno había vuelto a su sillón.

—Ahora tengo que irme, Florentine —dijo Quomo y la apartó con dulzura. Ella esbozó una sonrisa apenada.

—Un día voy a ganarte —dijo—. Entonces vas a estar viejo y cansado y voy a ponerte tres o cuatro chicas que no te dejen salir de la cama. A cierta edad el único sitio posible es una buena cama, Michel.

—Prometido —dijo Quomo. Después tomó el gato en sus brazos y lo llevó hasta la puerta.

—A veces me pregunto por qué lo sabe todo —dijo, y lo dejó en el suelo. Florentine lo besó en los labios mientras el otro hombre espiaba desde la escalera.

—Parecés un príncipe —repitió ella y cerró la puerta lentamente, como si temiera perderlo del todo.

17

El día del atentado, a la hora de la cena, Daisy se sentó a la larga mesa del comedor y encontró, dentro del plato de porcelana, el prendedor que había perdido en la caballeriza y la foto en que el commendatore Tacchi la tomaba en sus brazos.

Míster Burnett llegó un momento después, la besó en la frente y se sentó a la otra lejana cabecera. Daisy dejó la foto sobre la mesa y envolvió el prendedor en el pañuelo. Después comieron en silencio. El teniente Wilson se presentó en medio de la cena y anunció que un gorila había entrado al parque de la embajada. Luego de aplastar las flores de los jardines y arrancar las frutas de la huerta para arrojarlas contra la guardia, el animal había destrozado las reposeras y las sombrillas y se había arrojado a la piscina. Ahora estaba atrapado en una red y la guardia esperaba órdenes.

Mister Burnett dejó la servilleta sobre la mesa y salió con el oficial. Los reflectores enceguecían al mono, que se debatía sobre el césped. Los negros se divertían mirando cómo los soldados se esforzaban por sujetar la red, pero corrían a resguardarse cada vez que el gorila intentaba levantarse sobre las patas.

Un jardinero afirmó que se trataba de un animal viejo que bajaba a la ciudad por primera vez. Un soldado avisó que el furgón municipal estaba en la puerta y esperaba autorización para recoger al gorila. La señora Burnett había subido a su habitación del primer piso y seguía la escena desde el balcón. Cuando el animal gritó una larga letanía y levantó la cara y los brazos hacia el cielo tratando de ver más allá de las luces, Daisy creyó encontrar su mirada furiosa y desesperada. Sintió que su pecho se vaciaba, que no tenía piernas, ni brazos, ni lengua para gritar. Oyó a su marido vociferar sobre los rugidos del animal y vio que la gente vacilaba, inquieta. Los soldados bajaban las cabezas y los negros retrocedían a pasos cortos, cautelosos. Mister Burnett, inflamado de ira, le gritó al teniente Wilson; éste le gritó a su vez a un sargento de pantalón corto y los soldados corrieron a buscar sus fusiles. El gorila, enmarañado en la red, resbaló y cayó boca abajo. Estaba empapado y de sus labios brotaba una espuma macilenta. Había dejado de chillar y su cuerpo se estremecía con espasmos epilépticos. Dos soldados volvieron con las armas y Mister Burnett dio la orden de fuego. Hubo cuatro disparos, y luego una larga pausa en la que todos miraron en silencio la sangre que iba a teñir el agua de la piscina. Entonces Daisy aulló hasta quedar sin fuerzas. Dos mucamas corrieron a su habitación. Cuando abrieron la puerta, Daisy les pidió, casi sin voz, que le prepararan una maleta de viaje.

Al regresar de la embajada de Gran Bretaña, el furgón que recogía los animales extraviados halló al cónsul Bertoldi dormido en el medio de la calle. El capataz que revisó las ropas del borracho encontró el pasaporte, los cigarrillos y una cantidad de libras que no había visto nunca. Los cuatro empleados decidieron sin disputa repartirse el dinero y los cigarrillos en proporción a la escala jerárquica y poner al cónsul sobre la vereda para que no lo atropellara un coche. Los tres hombres que se habían encerrado en la cabina del camión advirtieron lo que ocurría, y el de la cadera torcida salió a reclamar una participación en el reparto. Al cabo de una discusión que amenazaba con alborotar al vecindario, el capataz aceptó darles un billete de cinco libras a cada uno y llevarlos hasta el bar. El que parecía mejor alimentado levantó el pasaporte del suelo, le echó un vistazo a la luz del camión y pensó que pegándole su foto podría entrar gratis a la cancha y hasta viajar en tren sin boleto.

Cuando Bertoldi se despertó, la calle estaba desierta y los grillos habían vuelto a cantar. Le dolía la cabeza y tenía la boca reseca, como si hubiera comido tierra. Buscó los cigarrillos, pero lo único que encontró fue el pañuelo arrugado. Al principio eso no le llamó la atención, porque había olvidado lo sucedido desde la borrachera anterior, pero luego, mientras caminaba hacia el consulado, le pareció recordar que otros acontecimientos y otras gentes habían pasado por su vida en las últimas horas.

Al entrar en su despacho encendió una vela y vio, en el piso junto a la puerta, un papel doblado en dos. Reconoció el perfume y la letra menuda de Daisy, que le pedía que se reuniera enseguida con ella en la caballeriza de los australianos.

Se dio una ducha y cuando fue a lavarse los dientes reparó en el otro cepillo y en un tubo de dentífrico que no era suyo. Entonces se acordó de las Malvinas y del irlandés. Se sentó al borde de la bañadera, con los ojos fijos en los azulejos, y se preguntó con qué pretexto había salido Daisy de la embajada. Al mirar el reloj llegó a la conclusión de que se trataba de algo grave, más grave todavía que la guerra, y lamentó no haber regresado a una hora más apropiada para recibir mensajes de urgencia.

18

El taxi los dejó en la puerta de Maxim's. En el trayecto, Lauri no se animó a preguntar nada sobre lo ocurrido en el palacete de Florentine. Le entregó a Quomo el dinero que había ganado a la ruleta y lo felicitó por su cumpleaños.

—No, no es hoy —dijo—. Nada que ver; ella confunde todas las fechas.

Se sentaron a la mesa y Quomo pidió entrada de palmitos con salsa golf. Mientras el camarero servía el vino, Lauri intentó abrir la conversación.

—La dama parecía simpática.

—Tuvimos un romance hermoso y desgraciado. Su marido había muerto en la guerra y nos conocimos en un tren. Ella iba a jugar al casino de Deauville y me pidió que la acompañara. Perdió cincuenta mil dólares en un rato y después, cuando yo los recuperé, fuimos a emborracharnos y a hacer el amor en la playa. Tenía mucho dinero, pero por principio se escapaba de los hoteles sin pagar. Conocía todos los trucos: el incendio, la inundación, la valija vacía... En ese tiempo trabajaba para la KGB y los yanquis la agarraron en Berlín, en el 67. Después hizo al-

gún arreglo raro y la dejaron libre. Tal vez se haya retirado de la profesión, pero no podría jurarlo. Cuando los
rusos llegaron a Bongwutsi sabían demasiado de mi vida
sexual y siempre me quedó la intriga.

—¿La ama todavía?

—Claro que sí. Me hubiera gustado quedarme un tiempo con ella, pero no estoy seguro de que no trabaje para
algún servicio. Ese infeliz que regentea el casino haría
cualquier cosa por dinero.

—En la mesa de al lado hay un árabe que nos mira mucho —señaló Lauri.

Quomo levantó la vista. El hombre llevaba un turbante
con una piedra preciosa sobre la frente y aprovechó el
cruce de las miradas para saludar al negro. La mujer que
estaba con él era occidental y llevaba anteojos de secretaria.

—No lo recuerdo. ¿Está seguro de que no lo sigue a
usted? —preguntó Quomo.

—A esta altura no estoy seguro de nada, pero nunca había visto un árabe de carne y hueso antes de venir a
Europa.

—En todo caso el diamante vale una fortuna.

Quomo se quedó un momento ensimismado, hasta que
probó el vino y se dirigió a Lauri.

—¿Por qué salió de su país?

—Nos confundimos con Perón, leímos mal a Marx y pasamos por alto a Lenin.

—Eso es un error grave. A Marx yo lo hacía leer en las
escuelas.

—¿Y usted cuándo lo estudió?

—Cuando vine de joven a París. Me lo contó una amiga
ugandesa.

—Qué le contó.

—Marx, completo. Íbamos al jardín de Luxemburgo a
las tardecitas, nos sentábamos en un banco y ella empezaba: *La sagrada familia,* capítulo primero. Y me lo conta-

ba. *El capital*, libro primero, volumen tres: *Génesis del arrendatario capitalista*. Nos quedábamos hasta la noche, comíamos un bocado en un *bistrot* y me seguía contando. Yo la escuchaba alucinado, imagínese, nunca había oído nada parecido. Después yo mismo di cursos y lo conté mucho.

—¿Está seguro de que se lo contaron bien? ·

—No sea cínico. El conocimiento se transmite por la palabra, al menos entre nosotros. Cuando tomé el poder fui a dar una charla sobre *La reproducción y la circulación del capital* a la Academia de Artes y Ciencias de Moscú y los expertos se reventaron las manos de tanto aplaudir.

—¿Nunca tuvo curiosidad de leerlo?

—Claro que sí, pero siempre había alguna revolución por hacer, y eso lleva tiempo. Marx dijo que había que dejarse de charlatanería y empezar la revolución. Eso está escrito en su tumba. ¿El árabe nos sigue vigilando?

—Ajá, y parece bastante interesado.

—Hay que cuidarse de los musulmanes. Son fanáticos del orden.

—¿Y qué pasa con usted? ¿Acaso no piensa imponer una dictadura del proletariado?

—Sí, pero contra el orden. En una revolución cada uno hace lo que quiere, menos explotar a los demás. Eso lo discutí mucho con los rusos.

—Es decir que usted propone el gobierno del desorden.

—Absolutamente.

—Pero para organizar la producción, por ejemplo, hace falta que las cosas estén en su lugar, que cada uno cumpla con su función, que todo el mundo trabaje.

—No señor, el que quiere trabaja, y al que no, se le garantiza la subsistencia.

—¿Usted cree que con ese plan va a recibir ayuda de otras organizaciones?

—No soy tan iluso. Hablé con el IRA, con el ETA, con el Polisario, pero son todos iguales: generosos pero solemnes, aburridísimos. En eso debo confesar que estoy solo.

—No es muy alentador.

—Hay que cambiarlo todo, Lauri, hay que hacer una revolución que dé ganas de hacer otras revoluciones.

—Eso no se consigue con cuatro tipos, Quomo.

—Pero se puede empezar. Después la gente se subleva aunque sea por curiosidad. Ni bien el irlandés haga un poco de ruido y las masas vean que los ingleses están ocupados en otro lado, se van a levantar. Ahora, si usted quiere abrirse, todavía está a tiempo. Con los cincuenta mil dólares que se ganó en el tiro al blanco tiene como para empezar una buena vida de ex revolucionario.

—¿Cuándo piensa salir para Bongwutsi?

—Antes de que los británicos lleguen a las Falkland, pero para eso necesito un avión. ¿Qué me dice del árabe?

—¿Qué tiene que ver?

—Hombre, un tipo con ese diamante en la cabeza no viaja por Air France. Vaya, llame a ver si soltaron a Chemir. Si lo encuentra dígale que prepare el plan sin alcohol.

Quomo le pasó una tarjeta. Lauri quiso preguntar algo más, pero advirtió que el negro tenía la cabeza en otra parte. Fue a la barra y pidió el teléfono. Al otro lado respondió Chemir.

—Entendido, señor —dijo—. Le aviso que el inglés sigue en circulación, lo acabo de ver cerca de Châtelet.

—¿Qué pasó con usted?

—Conseguí escapar antes de que llegara la policía.

Lauri volvió a la mesa y aprovechó para saludar al árabe, que lo seguía con la mirada.

—Todo en orden —dijo.

A Quomo se le iluminó la cara.

—Seguimos con suerte. Pida la cuenta.

Lauri hizo una seña al maître y encendió un cigarrillo.

—Usted que lo puede ver de frente, ¿cuánto le parece que pesa? —preguntó Quomo.

—El qué.

—El diamante.

—Ni idea, pero es grande como una nuez.

Quomo dejó cuatro billetes en la bandeja y se puso de pie.

—Disculpe la intromisión, Monsieur —dijo acercándose al árabe— pero me pregunto si no nos hemos conocido en Bagdad. Mi nombre es Michel Nakuto, industrial de Bongwutsi.

—Es posible —dijo el árabe, que no parecía sorprendido—. Sultán Alí.El Katar, presidente de la Corte Suprema de Justicia de Kuwait.

—Ahora veo —dijo Quomo—. Es su fotografía en los diarios que me quedó grabada. Este es el señor Lauri, encargado de negocios de la República Argentina, desgraciadamente en guerra. Ahora le ruego que me disculpe...

—Un momento, Monsieur... ¿me concederían el honor de compartir un té con ustedes?

—Con todo gusto. Pero quisiera tener el placer de ser yo quien lo invite a tomar una copa.

—No, por favor, nada de alcohol para mí.

—Justamente, yo iba a sugerir un lugar donde se prepara el mejor whisky desalcoholizado.

—¿Eso existe?

—Por supuesto, en Place des Vosges, un rincón de mi propiedad para un puñado de amigos.

—¿Sin alcohol?

—Solamente queda el sabor. El Islam no prohíbe el sabor a whisky, ¿verdad?

—Bueno... nunca me lo había preguntado.

Quomo abrió los brazos, miró a la mujer de anteojos y le dirigió una sonrisa luminosa.

—Permítanme que los invite, entonces. Tengo curiosidad por saber si además de haberlo visto en los periódicos, no nos conocemos de la Guerra de los Seis Días.

—¿Usted estuvo allí?

—Como piloto voluntario, pero lamentablemente al

quinto día de combate los judíos me derribaron en el
Sinaí.

—Pida el coche, Marie-Christine —dijo el sultán—. Si
los suizos inventaron el café descafeinado, ¿por qué este
hombre no puede haber descubierto el alcohol desalcoholizado?

19

Antes de verla con la valija, cuando la oyó decir su
nombre en la oscuridad, el cónsul supo que ése sería su
último encuentro con Daisy. Más tarde, mientras hacían
el amor y se buscaban los ojos a la luz de la linterna, ella le
dijo que no lo olvidaría jamás. En esa caballeriza se
habían contado secretos y jurado días imposibles, como
si tuvieran una vida por delante. Se abrazaban besándose
las pupilas, adivinando los contornos de los cuerpos en la
penumbra y en noches serenas y estrelladas murmuraban
promesas que se desvanecían con el último beso. A veces, ganado por la melancolía, el cónsul evocaba vías y
terraplenes, baldíos y amaneceres que Daisy trasladaba en
su imaginación a los desolados suburbios de Liverpool,
donde había sido joven y rebelde. Repetían cada vez las
mismas obsesiones, remotas e inasibles, los mismos deseos
de atrapar la lejanía y el tiempo que los disecaba irreme-
diablemente. La última noche, recostada en la hierba seca, Daisy no pudo sofocar un sollozo y una maldición
contra la vida. El reflejo de la luz sobre la cara le daba un
aire de madona envejecida. Abrazó al cónsul con todas
sus fuerzas y le pidió que le enviara a Londres las cartas
que había dejado en el buzón del consulado, convencida
de que para borrar de su vida al marido tenía que olvidar
también al amante. Bertoldi fingió comprenderla, pero al

amanecer, mientras la acompañaba por el sendero del bosque, se dijo que nunca se las enviaría, porque ella no lo deseaba de verdad. Se sentía tan abatido que cuando Daisy llamó un taxi ni siquiera le preguntó a qué hora salía el avión. Le dio un beso en la mejilla, ayudó al chofer a poner la valija en el baúl y se quedó parado en la vereda mirando el coche que se alejaba.

La caballeriza quedaba a dos kilómetros del consulado, pero para esquivar la zona de exclusión Bertoldi tenía que caminar unas treinta cuadras. Prefirió, entonces, internarse en el bosque y bordear el lago. Tenía el cuerpo pesado y el ánimo abatido. Sentía que con la partida de Daisy, la muerte de Estela volvería a ocupar toda su vida. Al pasar frente al embarcadero viejo le vino a la memoria el atardecer en que subieron por primera vez a un elefante. Dos nativos que regresaban a una aldea del norte les hicieron un lugar y se internaron en la selva por un camino de cazadores. Los otros animales se apartaban a su paso y sólo los insectos de luz y las mariposas los acompañaban en la marcha. El andar del elefante era tan suave que tuvieron la sensación de ir sobre una nube que se desplazaba entre el follaje y las flores. En el viaje fumaron tabacos nuevos y soñaron despiertos con lo que nunca soñaban dormidos. Desde entonces Estela empezó a creer, como los nativos, que las pesadillas venían del diablo y se despertaba espantada y sin coraje para nada.

En ese tiempo ya conocían a Daisy, pero el cónsul no sospechó nunca que un día sería su amante. Estela le contó la travesía a lomo de elefante y Daisy se sorprendió de que hiciera un mundo de tan poca cosa. Los ingleses salían en safari todos los meses y la señora Burnett no recordaba otra cosa que el asedio de los mosquitos y la tediosa espera hasta que aparecía la presa. Era raro que e

embajador volviera con una pieza mayor porque tenía
muy mala puntería y se quedaba dormido sobre el mantel
del pic-nic ni bien los negros retiraban la vajilla del almuerzo.

Tal vez si Daisy le hubiera contado lo ocurrido con el
gorila en la embajada británica, Bertoldi no habría sentido un vago sentimiento de compasión por Mister Burnett. También él conocería ahora el silencio de las piezas
vacías, sabría que esos cabellos enredados en la rejilla
del lavatorio sólo podían ser suyos, dejaría siempre encendida una luz en otra habitación, revolvería cajones en
busca de fotos y cartas que antes le hubieran parecido sin
importancia. O, como hacía el cónsul, dejaría una canilla
abierta en la cocina mientras andaba por la casa.

Bertoldi fue a la costa por un camino de piedras azules.
Las iguanas iban a refugiarse bajo las plantas y de pronto
la marea depositó un bulto sobre la playa. Se acercó a mirar y halló un perro muerto, hinchado a reventar, con la
boca abierta y los ojos desorbitados. Estuvo largo tiempo
allí, rodeado por las olas, mojándose los zapatos, pensando que tal vez alguien lo había arrojado de un barco y el
animal no pudo encontrar la orilla.

Al llegar a su casa fue derecho al buzón donde estaba
el paquete que había dejado Daisy. Lo puso sobre la mesa
y abrió un postigo para que entrara la luz. Un pedazo de
vidrio roto cayó al suelo y una lagartija asomó la cabeza
por el agujero de la ventana. Ahora eran varios los grillos
que cantaban en la habitación. Se echó en el sofá y cerró
los ojos, pero no pudo apartar de su cabeza la imagen del
perro ahogado. Buscó en el cesto de los papeles y encontró una colilla de la que sacó un par de pitadas. Los grillos estaban aturdiéndolo y tuvo que abrir todos los postigos para que la luz los hiciera callar. Se preparó un café
y lo llevó al despacho. Daisy había envuelto el paquete con
una cinta con los colores británicos, pero Bertoldi lo atribuyó a pura distracción y empezó a desatar el nudo

mientras el pucho se le consumía en los labios. Dio vuelta
el retrato de Estela y rompió el forro azul, pegado con
scotch. Adentro encontró una colección completa y bien
ordenada de las partituras para piano de Ludwig van
Beethoven.

Aunque seguía aturdido, no necesitó mucho tiempo
para darse cuenta de que Daisy se había equivocado de
paquete y que sus cartas seguían en la embajada británica,
al alcance del despechado y rencoroso Mister Burnett.

20

—Yo los llevo adonde quieran y cuando quieran —dijo
el sultán a medianoche. Empezaba a trabársele la lengua
y la voz le salía empastada. La luz hacía relumbrar la piedra del turbante y costaba seguirle la mirada.

—¿Pero el avión es suyo?

—Personal. Con ruleta y pase inglés a bordo. Hágame
servir otra copa, por favor... ¿Cómo me dijo que le llaman a esto?

—Tzelvita, pero enseguida la gente lo confunde con el
whisky.

—Yo no noto la diferencia. Si pudiéramos inscribirla
como bebida sin alcohol reventamos a Coca-Cola.

—¿Dónde está el piloto? —preguntó Quomo.

—El piloto soy yo. Ochenta y seis horas de vuelo. Estoy tomando un curso para emergencias aquí en París. No
sabía que le interesara la aviación.

—Es que tengo que llevar la destiladora a Bongwutsi y
no quisiera pasar por la aduana. ¿Prueba el de anís?

—¿De anís también hay? —se sorprendió El Katar—.
¿Usted sabe el negocio que tiene en sus manos?

—Sí, pero necesito un piloto que pueda aterrizar en cualquier parte. ¡Chemir, el de anís!

—Usted dice evitar el aeropuerto.

—El aeropuerto, la luz del día, las miradas indiscretas. Un avión se consigue en cualquier parte, pero ya no hay verdaderos pilotos; son computadoras, robots incapaces de hacer volar un barrilete. Lo mío es una revolución en materia de bebidas y no se lo puedo confiar a cualquiera.

—Adonde quiera y cuando quiera —repitió el sultán y terminó el vaso.

Chemir repartió copas y sirvió de una jarra blanca. Había cerrado las puertas del *bistrot* y cada tanto apartaba la cortina para echar una mirada a la calle. Llevaba puesta una chaqueta de camarero y cuando se movía entre el mostrador y la mesa arrastraba la pierna con cierta elegancia. Quomo lo miró e hizo un gesto de compasión.

—Vea cómo quedó. En un tiempo fue el mejor baterista de Nueva Orleans y acompañaba a Count Basie en las giras. Con las piernas quebradas liquidó a los tres judíos que vinieron a rematarnos después de la caída. Yo estaba ciego y escuchaba los gritos de los soldados que se nos acercaban. Me había quemado los ojos y desde entonces sólo puedo ver en línea recta, por eso me perdonará que lo mire tan fijo. En eso siento que Chemir me arranca la ametralladora de la correa y empieza a tirar. El fuselaje del avión se estaba quemando y hacía un calor de infierno, así que nos dieron por muertos. Estuvimos dos días achicharrándonos en el Sinaí hasta que llegaron los jordanos a rescatarnos.

—¿El avión lo piloteaba usted?

—Un Mirage de descarte. Chemir lo reacondicionó en Teherán.

El rengo fingía leer el diario al otro lado de la barra. En el tocadiscos giraba un disco de Armstrong.

—Sin mala intención le pregunto, Mister Nakuto —dijo

el sultán y encendió un cigarrillo egipcio—, ¿qué hacía un negro allí? Cada vez que el árabe prendía un fósforo y lo acercaba a la copa, Lauri sentía un ligero estremecimiento.

—Espíritu aventurero. Agarré el avión y me fui a pelear contra el sionismo. Hicimos dieciocho salidas antes de caer.

—Diecinueve —acotó Chemir sin levantar la vista del diario.

— ¡Maldita sea, dieciocho, sólo dieciocho, lo hemos discutido mil veces! —gritó Quomo y arrastró la silla hacia atrás. Marie-Christine dormitaba con la cartera entre las manos.

—Mis respetos, señores —la lengua del sultán empezaba a trabarse y la voz le salía empastada—: el Islam tiene una deuda de honor con ustedes. No sé qué decir... este anís marea un poco... ¿Cómo se siente, Marie-Christine?

La muchacha se despabiló con la gracia de una muñeca de porcelana.

—Naufrago, Monsieur... —dijo y se humedeció los labios con la lengua.

—Mañana temprano llame a Orly para que preparen el avión. ¿Usted tiene los papeles en regla para ser mi copiloto, Mister Nakuto?

—Ese es el problema: los perdí en el incendio.

—Consígale lo necesario, Marie-Christine.

—¿Qué equipo tripulamos, sultán?

—De lo más clásico: 727 B.

—Mañana es demasiado pronto. Necesito unos días para preparar el equipo.

—Cuando usted diga —dijo el sultán y se puso de pie apoyándose en Marie-Christine. ¿Así que a Bongwutsi? ¿Y somos muchos?

—Los que estamos aquí. Yo estoy parando en el Georges V, ¿y usted?

—Yo también, el servicio ya no es lo que era.

Quomo pasó un brazo sobre el hombro del árabe y lo acompañó hasta la salida.

—¿Cuántas horas de vuelo me dijo que tenía, sultán?

—Ochenta y seis. Ya vine dos veces a Europa.

—¿Y cómo va ese curso para emergencias?

—Hice tormentas y otras alteraciones climáticas. ¿Qué?, ¿no me tiene confianza?

—Por supuesto que sí. En cuanto al desalcoholizado le ruego estricta reserva porque todavía no hemos patentado el sistema. Ya le voy a mostrar cómo la tribu de los Dnimitas extrae el alcohol con plantas de mangú. ¿Conoce la selva?

—En mi vida he visto más de dos árboles juntos. Me gustaría ver una buena lluvia tropical. Dicen que no hay nada más romántico si uno está bien acompañado.

—Le han dicho la verdad.

El Katar intentó abrir la puerta del Rolls pero no acertó con la cerradura y el llavero se le resbaló entre los dedos. Quomo se agachó, lo recogió de un charco y lo secó con un pañuelo. El Katar, apoyado en el capó, movía los brazos como si dirigiera el tránsito. Quomo abrió la puerta y lo llevó de un brazo hasta el asiento. No bien se acomodó, el sultán empezó a roncar con un silbido entrecortado. Quomo hizo una seña a Marie-Christine y fue a su encuentro. La lluvia empezaba a ensuciar los anteojos de la muchacha. Quomo se los sacó con un gesto suave, casi paternal, y enjugó lentamente los vidrios con un papel de quinientos francos.

—Usted me cae simpático —dijo ella y se guardó el billete—, avíseme cuando necesite una secretaria.

—Con mucho gusto. Llámeme mañana y cuénteme si durmieron bien.

El Rolls arrancó sin ruido y rodeó la Place des Vosges. Quomo miró la calle desierta y volvió al *bistrot* donde lo esperaban los otros.

21

Con las partituras en la mano, absorto, el cónsul se paseó por su despacho y trató de recordar cuántas cartas le había escrito a Daisy en esos meses. Varias veces le había pedido que las quemara, pero en verdad se sentía orgulloso de que ella las guardara y las releyera cuando se sentía sola, a la hora de la siesta, mientras Mister Burnett se encerraba en su atelier a armar los barriletes que copiaba del *Kite Magazine*.

Pensó en lo que podía ocurrir cuando el embajador británico las hallara en el cajón de algún armario y se le hizo un nudo en el estómago: lo más probable, supuso, sería que atacara el consulado con el pretexto de tomar represalias por la reconquista de las Malvinas.

Entró al baño, abstraído en sus conjeturas, y encontró a O'Connell que dormía en la bañadera, con un brazo bajo la nuca y los pies apoyados contra los azulejos. Tenía la boca muy abierta y la barba aplastada contra el pecho. Una gotera caía desde la ducha y corría hacia el desagüe formando un hilo delgado y movedizo. Cada vez que se le acercaba un mosquito, el irlandés levantaba una mano y se golpeaba la cabeza como si acabara de acordarse de algo importante. Había dejado la pistola en la jabonera y el panamá colgaba de una canilla, junto a la camisa recién lavada.

Cuando Bertoldi se acercó al inodoro, O'Connell manoteó la pistola y se sentó, rígido, con la mirada atravesada.

—Me robaron la plata —anunció el cónsul—. Esos negros de mierda...

—¿No me diga? ¿Lo golpearon?

—Seguro, si me desperté tirado en una vereda.

—¡Muy bien! Yo no esperaba tanto.

—¿Qué es lo que le parece muy bien?

—Que estén acumulando fuerzas. ¿No tiene idea de quién los manda?

—Qué sé yo. Son unos muertos de hambre.

—De acuerdo, pero se están organizando, expropian a los blancos. A usted ya le habían sacado los documentos, me dijo.

—En el ómnibus. La plata y el pasaporte, como ahora.

—¿También se llevaron el pasaporte? —el irlandés salió de la bañadera, exultante—. ¡Me lo hubiera dicho antes, hombre!

—Yo no veo ningún motivo de regocijo. Si hasta los cigarrillos me robaron.

—Eso está mal, ¿ve? Son desviaciones criticables, ya se lo vamos a decir. Lo importante es que están juntando documentación.

—¿Para qué quieren un pasaporte sin foto?

—¿Sin foto? ¿El pasaporte estaba en blanco?

—Qué quiere, si no tenía plata para ir al fotógrafo.

—¡Ah, pero entonces esta gente sabe muy bien lo que hace!

—¿A usted le quedó algo de esa plata?

—Claro, no se preocupe.

—Entonces no es grave. Pasaportes tengo unos cuantos.

—Necesito hablarles. ¿Dónde le parece que los puedo contactar?

—Déjelos, qué van a hacer con un pasaporte...

—Kadafi empezó con el carné del comedor escolar.

—Voy a hacer café. Si le parece habría que comprar algo para comer y llamar a alguien que ponga vidrios nuevos.

—Alguna ropa no vendría mal, tampoco. Si va a salir

tráigame dos camisas cuello cuarenta. ¿Qué le parece si busco a esa gente en el mercado?

—En su lugar yo iría al prostíbulo, en la Isla de las Serpientes. En cada redada la policía se lleva una docena. A los reincidentes los mandan a la selva.

—¿Hay gente confinada?

—Sólo los que roban a los blancos.

—Esos son los que me interesan. La Isla de las Serpientes, dijo.

—Hay una lancha que lo lleva. Se imagina que yo no puedo dejarme ver por ahí en un momento como éste.

—Comprendo. De todos modos no creo que los ingleses se pongan pesados por ahora. Van a esperar a ver qué pasa cuando la flota llegue a las Falkland.

—Los vamos a echar a pedradas.

— ¡Así me gusta oírlo!

—Ahora, si Mister Burnett encuentra las cartas, mi situación va a ser delicada.

—¿Qué cartas?

—Olvídelo, es un asunto personal.

—En un revolucionario las cuestiones personales son inseparables de la política. En fin, algo así. Si vuelven a expropiarlo trate de establecer algún contacto. Haga correr la voz de que el comandante Quomo está en camino.

—Ni lo sueñe. ¿Dónde está la plata?

O'Connell fue hasta el baño y volvió con el bolso. Del fondo sacó un manojo de libras arrugadas y las echó sobre la mesa.

—Quería preguntarle, Bertoldi, ¿usted espera alguna encomienda?

—¿Encomienda? —el cónsul sonrió—. Acá lo único que llega de vez en cuando es el diario y ni siquiera viene a mi nombre.

—Está bien, pero si un día de estos le traen un paquete, una valija, o algo así, alcáncemelo enseguida.

—Descuide —el cónsul recogió los billetes y los guardó en un cajón del escritorio—. Lo último que recibí fue un paquete con partituras de Beethoven.

22

El sultán El Katar llegó a su habitación del sexto piso apoyado en un hombro de Marie-Christine. Le hubiera gustado dormir hasta el mediodía, pero Trípoli esperaba su informe. Se limpió la cara con una toalla húmeda y dejó el turbante sobre la cómoda. Sospechaba que Quomo le había hecho beber algo inadmisible para el Corán y ordenó a su secretaria que le preparara un sitio en el living para decir una plegaria.

Marie-Christine fue a sacarse el maquillaje y volvió con una libreta de apuntes. El sultán destapó una lata de Seven Up, abrió la puerta del balcón y se sentó con la vista fija en el cielo encapotado.

—Envíelo en código Alfa 2 —dijo, y dictó sin dejar de mirar la lluvia—: *"Confidencial Cancillería. Establecido contacto con comandante Quomo y agente argentino alias Lauri. Estrategia a confirmar: Argentina impulsa rebelión en Bongwutsi con propósito crear nuevo frente de guerra lejos Falkland. Objetivo distraer unidades flota británica. Estrecha colaboración Ejército Republicano Irlandés. Imperialistas estrechan cerco. Ningún apoyo Moscú. Disponen dinero confiscado CIA. Manifiestan urgente necesidad transporte. Mantengo contacto. Espero instrucciones. Alá es grande. Stop."*

Marie-Christine arrancó la hoja con el mensaje, fue al teléfono y solicitó a la conserjería una cabina de télex. Luego buscó el libro de códigos y se sentó a traducir con

los anteojos caídos sobre la punta de la nariz. El Katar
fue a la antesala, cerró la cortina y se hincó con la cabeza
entre las rodillas. Empezó a implorar perdón por sus peca-
dos de esa noche, pero apenas había iniciado la oración
cuando lo ganó una pesada modorra y se quedó profundamente dormido.

Sentados alrededor de la mesa, alumbrados por una
sola lámpara, los tres hombres estaban en mangas de
camisa y fumaban en silencio. Sobre un mapa de itinera-
rios de Air France, Quomo había trazado una línea
recta que iba de París hasta un lugar situado en el medio del Africa. Chemir se había puesto anteojos y agachaba la cabeza como si examinara una hormiga. Cada tanto Lauri tomaba una aspirina para mantenerse
despierto.

—Si aterrizamos en el valle nos vamos a encontrar con
los pigmeos —dijo Chemir—. Acuérdese lo que pasó la
otra vez.

—Sí, pero les construimos un hospital y tienen que
estar agradecidos, ¿no?

—No sé, los que vienen por acá hablan mal de usted.

—Al sur hay un claro de cinco kilómetros. Ahí se
puede aterrizar.

—Pero entonces tenemos como ocho días a pie hasta
Bongwutsi...

—No, la larga marcha no es para nosotros —dijo Quomo—. Nos tiramos en la selva, entonces. Acá.

Apoyó la punta de la lapicera sobre una línea azul.

—¿Eso no es un río? —preguntó Lauri.

—El Boeing flota. Si nos dejamos llevar por la corriente
entramos derecho al lago.

—¿Usted cree que el árabe va a poder bajarlo en el
agua?

—No, eso lo voy a hacer yo. Si confirmamos que El Katar es agente de Trípoli le podemos confiar el dinero, pero nunca el mando del avión: los pilotos de Kadafi son un desastre.

—¿De dónde saca que ese hombre viene de Libia?

—Se ve de lejos. Habló de desbancar a la Coca-Cola y en Arabia Saudita la Coca-Cola está prohibida hace años.

—¿Qué hacemos entonces?

—Seguirle el juego hasta ver lo que quiere.

—Tenemos que irnos, Michel —dijo Chemir—, está por pasar el patrón y si nos encuentra aquí vamos a tener que pagar la consumición.

Quomo miró el reloj y se levantó. Lauri tomó lo que quedaba de su whisky y lo imitó, aliviado.

—Vamos, Chemir, mañana temprano tenemos mucho que hacer.

—No puedo, tengo que esperar al dueño para entregarle la caja.

—No, se terminó, usted no se deja explotar más en este lugar ni en ningún otro. Venga con nosotros al hotel. Paga la República Socialista de Bongwutsi. De paso llévese un par de botellas de whisky.

—El patrón es buena persona, Michel, no le puedo hacer una cosa así.

—La revolución ya empezó, mi querido Chemir. No más servilismo en París. ¿No es eso lo que quería?

—No agachar más la cabeza.

—Nunca más.

Chemir hizo dos pasos arrastrando la pierna, se quitó la chaqueta de camarero y la tiró sobre una silla.

—De acuerdo, Michel. Que Dios nos ayude.

—Somos ateos, Chemir. Tampoco en eso hemos cambiado.

—Pero estamos más viejos, ¿verdad?

—Yo no. No me lo puedo permitir. ¿Recuerda la consigna?

Chemir esbozó una sonrisa nostálgica y los ojos se le pusieron aguachentos.

—Vencer o morir —dijo por lo bajo, y sonrió con los pocos dientes que le quedaban.

Lauri sintió que algo se movía dentro de él. Salió a la calle, bajo la llovizna, y pensó que todavía estaba a tiempo de alejarse de allí para siempre.

23

El taxi se detuvo en la explanada del Sheraton y el cónsul se quedó recostado en el asiento esperando que el chofer fuera a buscar el cambio de cinco libras. Había entreabierto la puerta, listo para escabullirse en caso de que se presentara algún imprevisto en la operación, pero el taxista regresó enseguida y le devolvió cuatro billetes de a uno.

Bertoldi se miró los zapatos deshechos y entró al hall con la cabeza ligeramente echada hacia atrás. Iba a comprarse ropa digna de un diplomático argentino en tiempos de guerra y le hubiera gustado llevar a Estela del brazo. Se había hecho cortar el pelo y lucía una afeitada impecable. De alguna parte llegaba la voz de John Lennon y una rubia lánguida masticaba chicle junto al aparato de aire acondicionado. Dos japoneses de traje y corbata trataban de venderle algo a un negro de anteojos con montura de oro, y más allá, en un sillón de tres cuerpos, una adolescente casi desnuda firmaba autógrafos a un grupo de turistas. Bertoldi la miró de reojo, y apuró el paso hacia la galería de las boutiques.

Al pasar frente a los ascensores, un chico de seis o siete años chocó contra sus rodillas, lo hizo trastabillar fuera de la alfombra, y se disculpó en un francés tan cristalino que su voz quedó un rato flotando en los oídos del cónsul. Un botones viejo, de dentadura impecable, esperó a que el ascensor se abriera y fue a empujar la silla de ruedas de un hombre pequeño y arrugado como un chimpancé, cubierto con una camisa a cuadros y un sombrero tejano. La voz de John Lennon se perdió en el alboroto de una fila de negros envueltos en túnicas de colores y reapareció en un final de guitarra desencantada.

Frente a la vidriera de Yves Saint Laurent el cónsul eligió un traje claro, una camisa beige y unos zapatos marrones, livianos como guantes. Antes de decidirse pasó por Christian Dior y por Fiorucci. Dudó un instante y cuando avanzaba hacia Cacharel cruzó una vitrina de televisores encendidos. Le pareció ver, al pasar, una columna de soldados que desfilaban tocando la gaita. Se detuvo un instante y los vio subir a un buque mientras la gente los despedía con pañuelos y colores británicos. De pronto la pantalla mostró una multitud clamorosa que levantaba banderas celeste y blanco en una plaza que el cónsul reconoció de inmediato. Por un instante olvidó el traje y trató de escuchar el relato del periodista a través de la vidriera. Parecía tan interesado que el vendedor se acercó al aparato y pasó la antena a un video portátil. En el televisor apareció J.R. apretando el cuello de una mujer huesuda y de ojos verdes y el cónsul hizo un gesto de fastidio. Entonces el vendedor le mostró a Silvester Stallone sacando a un negro del ring y Bertoldi reculó hacia Pierre Cardin con la mirada perdida en una confusión de imágenes hasta entonces olvidadas.

Durante un rato deambuló por las galerías tratando de juntar pedazos, cabos sueltos, figuras ocultas en el fondo de su memoria bruscamente perforada por la imagen fugitiva de la Casa Rosada. Al fin se detuvo en la vidriera de Yves Saint Laurent y se dijo que el traje era lo bastante sobrio y elegante como para presentarse ante Mister Burnett el día que los ingleses firmaran la rendición.

Frente al espejo, mientras se lo probaba, trató de adivinar si Estela habría aprobado el color y si no se reiría de

la solemnidad que se pintaba en su cara mientras el vendedor le acercaba al cuello una corbata envuelta en dos
dedos. Pidió tres camisas de diferente tono y las hizo envolver junto a las dos que le había encargado O'Connell.
Calculó que tenía un par de horas hasta que el vidriero
terminara de trabajar en el consulado, de manera que
decidió llevarse el traje puesto y tomar una copa en el bar
del hotel. Miró el reloj y por primera vez lo encontró viejo, golpeado, pasado de moda, incapaz de acompañar el
atuendo que estaba eligiendo. Se lo quitó, lo puso entre
la ropa que había llevado puesta y llamó al vendedor.

—Hágame el favor, queme esto —dijo y guardó el dinero en el pantalón nuevo.

El empleado hizo un bollo con todo y lo arrojó a un
canasto. Bertoldi se quedó sentado en el probador, frente
al espejo, esperando que el sastre cortara las botamangas.
¿Daisy habría guardado bien las cartas, o al envolver las
partituras de Beethoven las habría dejado al descuido sobre una mesa? ¿Se comportaría Mister Burnett como un
gentleman o lo haría asesinar por uno de esos torvos agentes de seguridad que se disimulaban entre los invitados
a las recepciones? ¿Qué diría esa multitud de la Plaza de Mayo si supiera que su hombre en Bongwutsi había desafiado al enemigo en su propio terreno? Bertoldi
se revolvió en la silla y pensó que al fin y al cabo el adve-
nimiento del comunismo le permitiría regresar a Buenos
Aires como un héroe. El vendedor pasó una mano entre
las cortinas del probador y le alcanzó el traje y la camisa
beige. Se vistió despacio: en el espejo aparecía de a poco
una figura desconocida, alguien a quien los negros
hubieran abierto la puerta del camión cuando huían del
gorila. Se abrochó el saco, y cuando el empleado le preguntó si pagaría con tarjeta hizo un gesto de negación
displicente. Oyó la cifra sin alterarse: arrugó la boleta y
tiró sobre el mostrador ocho billetes de cien. El vendedor
abrió un cajón, sacó un aparato no más grande que un

despertador electrónico y el cónsul sintió, de pronto, que
su gallarda compostura se derrumbaba de un golpe.

—Lo lamento, señor, los billetes no sirven.

Bertoldi empezó a sudar frío. Un rencor sordo, de
perro abandonado, se le mezcló con la sangre.

—No entiendo —dijo, y trató de parecer firme—. ¿Qué
quiere decir?

—Con todo respeto, señor: la máquina rechaza los billetes.

—¿Y quién es ese aparato para rechazar mi dinero?

—La computadora de la casa, señor. Fíjese, aquí nos in-
dica que falta la línea de segmento, ¿ve?

—¿Usted insinúa que ese esperpento rechaza el dinero
que me da el banco?

—Lo siento, señor. Con toda seguridad aceptará su tarjeta de crédito.

El cónsul miró hacia la puerta y sintió, por un momento, un desesperado deseo de salir corriendo.

—No traje la tarjeta. Tome, pruebe éstos.

Un rocío transparente brilló en la calva del empleado que se inclinaba bajo la lámpara. El hombre del sombrero tejano que Bertoldi había cruzado en el hall, entró en la silla de ruedas. Llevaba una mano en la cadera
de la rubia que mascaba chicle.

—Todos malos, señor. Lo siento. Si me permite el
pase del hotel podemos cargarlo en su cuenta.

—Acabo de llegar.

—Sin problemas. Se lo hacemos llegar a su habitación.

El cónsul sintió un revoltijo en las tripas y temió ensuciar el traje flamante.

—No tendrá inconveniente en que vaya un momento
hasta la gerencia—dijo.

—Ninguno señor. ¿Me permite su pasaporte, por favor?

Bertoldi dio vuelta la cabeza y encontró la mirada severa del hombre del sombrero. De vez en cuando la rubia lo

levantaba del cuello de la camisa y lo acomodaba en la silla.

—Me lo robaron —dijo el cónsul.

—Lo siento mucho, señor. El probador está a su disposición.

—Dos blancos pasaron dinero falso en un restaurante, la otra noche —dijo el de la silla de ruedas y frotó la entrepierna de la muchacha—. ¿Conoce a la persona que le dio esos billetes?

El cónsul sacó la ropa vieja del canasto, entró al probador sin responder y volvió a vestirse. El corazón le latía con fuerza y sus ojos vieron en el espejo a un hombre que jamás podría abandonar ese país. Estaba ajustándose el cinturón cuando oyó la voz del tejano.

—En su lugar yo retendría esos billetes, joven. Nunca se sabe.

—Dice que se los dieron en el banco.

—Con más razón. No me sorprendería que los rusos ya nos estén manejando la Reserva Federal. Vea lo que les pasó a los británicos por mirar para otro lado. Guarde eso.

Bertoldi apartó las cortinas con la escasa fuerza que le quedaba y levantó los billetes que el empleado estaba a punto de meter en la caja.

—Llegará un día —dijo pausadamente, y su voz sonaba cansada—, que toda esta mierda será expropiada. Entonces yo voy a venir a buscar mi traje y usted tendrá que lavarme los calzoncillos antes de que lo lleven al paredón de fusilamiento.

—Curiosa conducta para un blanco, señor —dijo el lisiado mientras apretaba las nalgas de la rubia— ¿En nombre de quién se permite semejante grosería?

—En nombre de la República Socialista Popular de Bongwutsi —dijo el cónsul y abandonó Yves Saint Laurent a trancos largos, como si escapara de su propia sombra.

24

Para pasar desapercibido O'Connell tomó un atajo a través del bosque, pero se arrepintió muy pronto, porque la vegetación le produjo una seguidilla de estornudos y los ojos se le pusieron colorados como tomates. No había previsto ese inconveniente cuando aceptó la misión en Bongwutsi y sólo guardó en el bolso un pañuelo de recambio.

Al bajar a la playa estaba agitado, pero ya podía respirar mejor. Se ocultó detrás de una canoa y observó el muelle de donde salían las lanchas para la Isla de las Serpientes. Los negros y los soldados británicos esperaban turno en colas separadas, mientras dos policías subían a bordo. Alguien hizo una señal con un silbato y la primera lancha empezó a despegarse del muelle. Iba tan cargada que apenas podía moverse. O'Connell empujó el bote y empezó a remar hacia la embarcación que iba alumbrada por una garrafa de gas. Mientras se aproximaba oyó una música de gaitas y una vieja canción escocesa. Esperó a que la lancha pasara a su lado, le arrojó una soga para enlazar el mástil de la popa, y se dejó remolcar. Estornudó una vez más y se echó boca arriba a fumar un cigarrillo y mirar las estrellas. El calor se hacía más tolerable a medida que se adentraban en el lago. A lo lejos navegaban barcos de pesca y yates que remontaban hacia la desembocadura del río. O'Connell trató de recordar cuánto tiempo hacía que no veía la nieve ni la escarcha y se preguntó por qué el proletariado se sublevaba con más entusiasmo en los países calientes. Le vino a la memoria una travesía a lomo de camello durante el alzamiento de Mogadiscio y luego los días de París con niebla y llovizna.

Un golpeteo de tambores le indicó que estaban acercándose a la costa. Cortó la soga para separarse de la lancha y remó hacia unas rocas alejadas del embarcadero. Los negros y los británicos subieron por una cuesta vigilados por los dos policías. La aldea estaba alumbrada con tachos de petróleo encendidos en las esquinas. O'Connell atravesó un campo de flores tapándose la nariz con el pañuelo. Junto a la playa había casas europeas con jardines de césped donde bebían los blancos y las mujeres eran jóvenes y bellas. Al otro lado de la isla, sobre los acantilados, el irlandés encontró las chozas de los negros y una kermesse con músicos y pista de baile. Los dos sectores estaban unidos por calles de tierra desoladas, donde se amontonaban las cabañas de los pescadores y los chicos desnudos jugaban a la luz de las hogueras.

Dio un rodeo y se detuvo a preparar algunos explosivos. Colocó el primero en un bar de hombres solos y el segundo en una casa de patio abierto donde se escuchaba música de rock y las mujeres tenían las caras pintadas de blanco y los cabellos planchados. Por precaución puso medio kilo de trotyl en un puesto del ejército donde los oficiales miraban televisión y fumaban charutos largos como botellas. Buscó la calle más oscura para acercarse a la kermesse y antes de entrar se pintó la cara con un corcho quemado. Las mesas eran de chapa y estaban cubiertas de botellas, latas de cerveza y bandejas con hamburguesas. Los negros comían y bebían y se hablaban a gritos. La pista de baile estaba atestada de gente. Los guardias arrastraban a los borrachos y los cargaban en un carro tirado por dos mulas. La orquesta, protegida por un cerco de alambre, tocaba guitarras, trompetas y tambores y los músicos se renovaban cada vez que caían deshidratados.

El irlandés buscó con la mirada el lugar más propicio para lanzar el llamado a la insurrección. Entre la cantina y el palco había un poste de electricidad perdido en la penumbra que le pareció lo suficientemente alto como para

hacer un discurso sin riesgo de ser interrumpido. Evitó la
pista de baile, saltó por encima de un borracho que se re-
sistía a que lo llevaran al carro, y arrancó una de las antorchas que alumbraban a la orquesta. Al poste le faltaban algunos peldaños y tuvo que subir rodeándolo con
las piernas, sosteniendo la antorcha con los dientes para
tener las manos libres. Cuando llegó a la punta se arrodilló sobre el travesaño donde se bifurcaban los çables y
sintió que el poste se movía como el mástil de un barco.
Abrió el bolso para sacar un puñado de pólvora y miró
hacia abajo: los negros parecían muñecos que se movían
al compás de la música. Se paró sobre un cable de acero,
levantó la antorcha y gritó " ¡Camaradas!", pero se dio
cuenta de que nadie lo escuchaba. Tenía los brazos abiertos como un equilibrista y su cuerpo oscilaba sobre las copas de los árboles. A lo lejos distinguió el carro que se detenía junto a la barranca y arrojaba los borrachos al agua.
Dio gracias a Dios por la falta de viento y arrojó un puñado de explosivo sobre la antorcha. La llamarada se quedó
flotando un rato en el aire y desde la kermesse llegaron los
primeros aplausos. O'Connell buscó más pólvora en el
bolso y pudo medir la expectativa que despertaba su discurso por el silencio que se producía en el patio. Al segundo fogonazo, cuando intentó dibujar una sirena con
alas, los músicos dejaron de tocar y ya todo el mundo lo
señalaba y le prestaba atención. Las mujeres habían salido
de las casas a las apuradas, envueltas en batas y chales. El
carro de los borrachos se detuvo a mitad de camino y las
patrullas fueron a buscar instrucciones. O'Connell hizo
bocina con las manos y pidió atención mientras arqueaba
las suelas para no resbalar. Tenía los pies acalambrados y
la voz le salió llena de furia cuando se cagó en la reina
Isabel y en el colonialismo británico. Alguien, en el palco
de la orquesta, traducía por el micrófono y una gritería
satisfecha le llegó de abajo. Cuando se hizo silencio,
O'Connell anunció el inminente regreso de Quomo; lla-

mó a la rebelión armada y avisó que ese lugar de perdición estaba plagado de bombas. Enseguida arrojó la antorcha, y se irguió con un jubiloso "Dios los bendiga, camaradas" y un vibrante "venceremos".

El del micrófono tradujo que los británicos habían puesto bombas en la isla y los negros empezaron a desbandarse, enfurecidos. Las mujeres sacaron a los blancos de sus camas y los músicos voltearon el alambrado para correr por el campo. La patrulla disparó al aire y los borrachos aprovecharon la confusión para escapar del carro. Alguien encontró una de las bombas y la arrojó en un aljibe. O'Connell escuchó la explosión cuando saltaba sobre el techo de la cantina. Los británicos, desnudos, corrían por las calles oscuras y los negros los perseguían a cascotazos y los perros les mordían las piernas. La policía empezó con los bastonazos y las botellas desaparecieron de los estantes. Antes de escapar por los baldíos, O'Connell escuchó los otros estallidos y vio que los negros colgaban piedras al cuello de los ingleses y los arrojaban por el acantilado. Lo invadía una sensación de gozo y recordó la noche que Michel Quomo le dijo que su pueblo heroico se levantaría contra la opresión cuando alguien le hablara con toda franqueza. Inició la retirada a través del bosque, estornudando de nuevo, y bajó a la playa en busca de la canoa. No era la primera vez que sublevaba multitudes, pero siempre sentía la misma satisfacción. Remó unos minutos con un cigarrillo en los labios y luego dejó que el bote se abandonara al capricho del agua. Estaba un poco cansado y le dolían las piernas, pero no tenía sueño. Se recostó a babor y estuvo un largo rato mirando caer ingleses desde lo alto del despeñadero. Pensó que ahora nada ni nadie podría apagar la cólera de los humillados y los explotados del Africa.

25

El bar nocturno del Georges V estaba a media luz. En la barra había tres hombres rubios y corpulentos, vestidos de azul, que tomaban cerveza en silencio. Al beber miraban el techo y se daban codazos de complicidad, como si compartieran una picardía secreta. Casi todas las mesas estaban ocupadas y nadie parecía entusiasmarse por la interpretación del pianista. Chemir miró a través del vidrio pero ni siquiera sabía a quién buscaba. Fue a mirar al baño, por rutina, y luego volvió al hall.

—Sin novedad —dijo.

—¿Qué hora es? —preguntó Quomo.

—Cuatro menos cuarto —dijo Lauri.

—Raro. Willie deja de tocar a las tres.

Lauri tenía demasiado sueño para prestarle atención. Chemir fue a la conserjería y se presentó como viajante de comercio. El empleado le miró la cara negra, el pulóver deshilachado y la barba crecida y preguntó por el equipaje. Chemir se quedó un instante en silencio, pensando la respuesta, hasta que recordó una frase de Quomo:

—Los revolucionarios no llevan valija.

El empleado levantó la vista, perplejo.

—Naturalmente —dijo, y le acercó el registro de pasajeros.

El detective del hotel, que estaba colocándose los lentes de contacto al otro lado del mostrador, parpadeó un momento y se quedó mirando al recién llegado. Chemir hizo un garabato en la columna de las firmas, reclamó la llave con un gesto y fue a reunirse con los otros.

—Por la escalera —dijo Quomo—. Acá hay algo que huele mal.

Lauri tomó la delantera y Chemir cerró la marcha. En
tre el tercero y el cuarto piso se cruzaron con una camarera que llevaba una pila de toallas perfumadas. La mujer
se apartó para dejarlos pasar, pero no respondió al saludo
de Quomo.

Lauri sentía una sensación de ridículo apenas atenuada
por el cansancio. Al abordar los primeros escalones del
quinto piso tropezó y Quomo tuvo que sujetarlo del brazo. Sus miradas se cruzaron por un instante. La del negro
seguía tan fresca como a la hora del desayuno.

—Vaya y fíjese si todo está en su lugar.

Lauri entró en la suite y encendió las luces de los dormitorios. Después fue al balcón. Abajo, iluminada por
cuatro globos, vio la piscina desierta y una propaganda de
Adidas. Volvió al living y avisó a los otros que podían entrar. Quomo se quitó el saco, abrió la heladera y comprobó que el dinero seguía allí. Chemir sirvió dos vasos de
whisky, los puso sobre la mesa ratona y se quedó esperando instrucciones.

—Duerma un par de horas —dijo Quomo—. Y mañana
no le pierda pisada al sultán.

—De acuerdo, Michel —dijo Chemir y salió con tranco
desparejo.

Lauri fue a su dormitorio y se desvistió para darse una
ducha. Cuando empujó la puerta, creyó que el mundo se
venía abajo. La mampostería del techo cedió con un estruendo de maderas quebradas y los azulejos se despren-
dieron de la pared. Lauri dio un salto atrás y vio caer una
mole verde que quebró el inodoro y destartaló el lavatorio. La luz se apagó y Quomo llegó desde la pieza con
un fósforo prendido.

—Aquí hay alguien —dijo el argentino y buscó el encendedor que había dejado sobre la cama.

Quomo cambió de fósforo y empujó la puerta con un
pie. Patik, redondo como un tambor, tenía un cable alrededor del cuello y la cabeza al revés, como los muñecos.

El agua de una cañería rota le mojaba el traje. Lauri acercó el encendedor y reconoció el gesto de contrariedad que le había visto en el restaurante de Zurich.

—Esto tiene firma —dijo Quomo y tiró el fósforo sobre el agua que corría hacia la rejilla.

El teléfono empezó a sonar en la pieza de Lauri.

— Diga que me caí de la cama y avise a Chemir que nos vamos enseguida.

Quomo estudió el lugar y concluyó que después de colgarlo de los cables habían puesto el cuerpo encima de la puerta. Mientras Lauri atendía la llamada, revisó los bolsillos de Patik y se guardó un pasaporte de Guinea y dos cartas de crédito.

—Chemir viene para acá —dijo el argentino y empezó a vestirse—. ¿Qué pasó?

—Se equivocaron de negro. Deben haber llegado justo cuando Patik estaba revisando la pieza.

—¿Lo buscaban a usted?

—Claro, esa fanfarronada es de los Kruger.

Chemir golpeó a la puerta con suavidad. Lauri le abrió y la luz del pasillo iluminó el living. El rengo fue directamente al baño.

—Un canalla menos —dijo al regresar—. ¿Y ahora, Michel?

—Hay que salir del hotel antes de que se den cuenta del error —dijo Quomo y fue a mirar por el balcón.

—¿Pido un taxi? —preguntó Lauri.

—No, bajemos por acá. Chemir, alcánceme las cuerdas de las cortinas y vaya a buscar las de su habitación.

Chemir salió corriendo mientras Lauri se reunía con Quomo en el balcón.

—¿Piensa bajar los cinco pisos así?

—Si usted conociera a los Kruger no vacilaría en tirarse de cabeza. Déme la valija.

—No, yo no me animo.

Quomo lo miró, extrañado.

—No me diga que tiene vértigo.

—Lo que tengo es miedo.

—Muy bien, sepa que uno de esos tipos se cargó a Sadat y otro disparó contra Reagan. O fue el mismo, nunca se supo bien. Los mandaron a la Siberia después del atentado del Vaticano. Los llaman La Demoníaca Trinidad.

—El tipo que tiró contra Reagan está preso.

—¿Pero usted en qué mundo vive? Ese pasaba por ahí y la historia de las cartas de amor a Jodie Foster se la di yo.

—A mí esos tipos no me conocen.

—¿Y qué va a hacer con el inglés? Ese no se va a quedar conforme hasta que usted no le explique lo de las Falkland. Recuérdeme que le prepare una buena historia para eso.

Lauri miró hacia abajo. La piscina se esfumaba entre la niebla. Chemir llegó con un montón de cuerdas rojas y desflecadas.

—Son muy cortas —dijo Quomo, y ató una a la baranda—. Vamos a tener que ir de balcón en balcón.

Lauri miró a Chemir que temblaba como un pájaro mojado. Apenas alcanzaba a distinguirle la cara en la penumbra.

—¿Usted no dice nada?

—Yo no paso delante de ellos ni loco. En Bongwutsi colgaron a todos los compañeros.

—¿Cómo sabe que están abajo? —insistió Lauri.

—Willie siempre deja de tocar a las tres —dijo Quomo y se sacó la camisa.

—A veces me pregunto si no se están burlando de mí.

—Lo discutimos otro día —Quomo pasó una pierna sobre la baranda—. Si viene trate de no hacer ruido.

—¿Y si voy por el ascensor?

—Entonces invente algo para el inglés. Y de paso dígales a los Kruger que están trabajando como amateurs. Sería una pena que los devolvieran a Siberia antes de que se hayan tomado toda la cerveza del mundo libre.

26

La hierba había crecido alrededor de la tumba de Estela y el cónsul estuvo toda una mañana arrancándola con una azada. Mientras trabajaba iba contándole lo ocurrido desde los primeros días de la guerra y se demoró en el asalto a la zona de exclusión y la llegada de O'Connell. Contó también la partida de Daisy, pero ni siquiera esta vez se atrevió a confesar que habían sido amantes clandestinos. Bertoldi sabía que hablaba para sí mismo, pero una extraña compasión le impedía evocar en ese lugar su relación con la esposa del embajador británico. Un nativo que pasó a su lado creyó que el cónsul rezaba y se santiguó en señal de respeto. Por momentos el cielo claro se estremecía con un relámpago y Bertoldi pensó que durante las lluvias le sería imposible atravesar el lodazal para llegar hasta la tumba.

Cuando el rectángulo estuvo limpio de arbustos se quedó un rato en cuclillas, mirando la tierra reseca. Le costaba creer que el cuerpo de Estela estuviera cubierto de gusanos, que la piel se le desgajara día a día como en esas horribles películas de Christopher 'Lee. Casi involuntariamente, empezó a rascar la tierra con la llave de la casa hasta que encontró una raíz carcomida por los bichos. Entonces estrelló un puño contra el suelo y sintió que el sol estaba revolviéndole los sesos. En voz muy baja pidió perdón por sus pensamientos y se puso de pie, empapado. Estuvo un rato en silencio, secándose el cuello con un pañuelo. Un poco más allá dos peones cavaban un pozo y se turnaban para ir a descansar bajo un árbol. El ruido de un trueno le hizo levantar la cabeza y recordó que, cuando estaban juntos, Estela apagaba las velas para descifrar mejor las figuras que cruzaban por el cielo. Cuando caía una estrella, cerraba los ojos y pensaba en secreto un deseo que los dos creían realizable. Por un instante, el cónsul tuvo la sensación de que en ese tiempo eran felices porque aún creían que podía sucederles algo nuevo. Habían decidido tener un hijo cuando regresaran a Buenos Aires, pero después ni siquiera volvieron a hablar de eso y fueron encerrándose en sí mismos hasta vivir como una sola persona que repetía mecánicamente la rutina de todos los días. Estaba preguntándole a Estela por qué no habían luchado con más fuerza, por qué se habían entregado a la resignación, cuando uno de los peones se acercó a reclamar la azada. Bertoldi le dio un billete de una libra y el enterrador se quitó dos veces el sombrero antes de salir corriendo hacia donde lo esperaba su compañero.

El cónsul caminó hasta la calle sombreada por las palmeras y se paseó entre las tumbas, enfrascado en sus pensamientos. Al pasar frente al panteón de los ingleses, un negro bien trajeado, que salió de abajo de una cúpula, lo llamó por su nombre y se alejó por la vereda. El cónsul creyó reconocer la ropa y se quedó mirándolo, desconcertado. El desconocido entró en la capilla a paso lento, y lo invitó con un gesto a ir detrás de él. Bertoldi dudó un instante, se sonó la nariz, y concluyó que no arriesgaba nada con seguirlo. El hombre se arrodilló frente al Cristo, juntó las manos y bajó la cabeza como si dijera una oración. El cónsul se hincó a su lado y le copió los gestos con impaciencia.

—Hace días que vengo a buscarlo. Ya se imagina.

El cónsul lo miró de reojo. Había poca luz y apenas podía distinguir que se trataba de un tipo elegante.

—¿Usted es del gobierno? —dijo Bertoldi.

—No me pregunte nada. Su valija está en la conserjería del Sheraton.

Metió dos dedos entre el pañuelo que asomaba del bolsillo del saco y le pasó un ticket amarillo.

—Perdone la demora, pero todo el mundo está nervioso por las bombas.

—¿Una valija?

—No hubo tiempo para preparar algo mejor. Le sugiero que la retire ántes de la fiesta de los británicos, pero ande con cuidado: su casa está demasiado vigilada.

Bertoldi miró hacia los costados. Un cura joven estaba cambiando las velas de la Virgen.

—Se va a reír pero no tengo plata para ir al hotel.

—Está todo pago.

El cónsul movió la cabeza, intrigado.

—Perdone la curiosidad. ¿Ese traje lo compró en Yves Saint Laurent?

El hombre tuvo un sobresalto.

—¿Me estuvo vigilando?

—No, por favor, no tiene importancia.

—Lo había subestimado, embajador.

Estuvieron unos minutos en silencio y el cónsul se dio cuenta de que había empezado a rezar de verdad. Completó el Padre Nuestro y se animó a preguntar:

—¿Por qué yo?

El negro se levantó, se persignó, y lo miró por primera vez a los ojos.

—Usted es demasiado modesto, Mister Bertoldi.

Después fue hacia la salida y el cónsul lo vio caminar a contraluz. El traje no tenía ni una arruga. Sintió deseos de alcanzarlo pero estaba tan desconcertado que siguió rezando hasta que se le secaron los labios. Salió despacio, con el sombrero en la mano, tratando de darle un sentido a lo que había dicho aquel hombre. Luego de una larga reflexión lo relacionó con el cerrado lenguaje de los diplomáticos y los terroristas. Entonces recordó que O'Connell le había anticipado la llegada de una encomienda y tuvo la certeza de que el irlandés lo estaba utilizando para recibir armas. En un arranque de furia pateó una corona marchita que rodó hasta el portal de la capilla y salió a la calle. Llamó un taxi, le dio la dirección del consulado y le explicó cómo esquivar la zona de exclusión. Iba con la idea de cantarle cuatro frescas a su refugiado, pero de pronto advirtió que todavía no había almorzado y tenía una habitación paga en el hotel que siempre había querido conocer.

Lo pensó un instante y cuando pasaron frente a la estación se inclinó hacia el conductor para decirle que lo llevara directamente al Sheraton.

27

El agente Jean Bouvard estacionó el Renault frente a la entrada del Georges V y sintonizó *France Musique*. Nunca había notado la diferencia entre un negro de Senegal y otro de Bongwutsi, así que mal podía exigirle su jefe que reconociera en plena oscuridad a un comunista africano. Esa mañana lo habían degradado y humillado delante de sus camaradas y sólo había obtenido un plazo de cuarenta y ocho horas para recuperar el dinero.

Esperó una hora y media hasta que Quomo y los otros regresaron al hotel. Entonces controló el reloj y colocó contra el parabrisas un permiso de libre estacionamiento para discapacitados.

Lo sorprendió encontrar en el hall al agente británico Fred Richardson, que salía de una cabina de teléfonos. Tenía la cara hinchada y llevaba unos anteojos negros que apenas le cubrían el ojo en compota. Bouvard se escondió detrás de una columna y lo miró ir hacia los ascensores. Lo había conocido en el Chad, cuando las tropas francesas lo encontraron dormido bajo el sol con el *Times* abierto en la página de deportes. Estaba tan despellejado que tuvieron que devolverlo a Londres en un cajón de hielo picado. Desde entonces su área de operaciones se había

restringido a los países nórdicos y Bouvard se asombró
al encontrarlo en París. De inmediato dedujo que Richardson iba detrás del argentino y temió que sus movimientos alertaran a Quomo.

Cuando el ascensor partió, el francés salió de su escondite y se acercó al indicador para ver dónde se detenía.
Luego corrió por la escalera de incendios y subió hasta el
quinto piso ahogándose, jurando que al día siguiente' dejaría de fumar. Recorrió el pasillo alfombrado hasta que encontró una habitación con la puerta entreabierta. La empujó con cuidado y vio que el inglés se quitaba los zapatos y salía al balcón. Desconcertado, Bouvard entró al
living y se escondió detrás de una cortina. Desde allí observó cómo Richardson guardaba los anteojos y armaba el
silenciador de la pistola. El francés pensó, con alivio, que
si el inglés se encargaba del argentino, le allanaría el camino para sorprender a Quomo. Lo vio subir a la baranda
del balcón e inclinarse sobre el vacío. Ganado por la curiosidad, entró al dormitorio para mirarlo de cerca y comprendió que se proponía saltar a la suite vecina. El francés calculó que el mayor obstáculo no era la distancia de
dos metros y medio, sino la llovizna que dificultaba la vi-
sión y humedecía el piso. Supuso, sin embargo, que el entrenamiento de los británicos preveía esas dificultades y
se deslizó en la oscuridad para no perderse detalle. Parado
bajo el toldo podía distinguir el patio y la piscina desierta.

Richardson hizo algunas flexiones, abrió los brazos, dobló las rodillas y dio un breve grito de guerra antes de saltar al vacío. Bouvard lo vio perderse en la oscuridad, con
el saco inflado como un paracaídas, y no pudo contener
un gesto de admiración y envidia.

Mientras se deslizaba por la cuerda, Lauri escuchaba las
voces de Quomo y Chemir que susurraban en el balcón de

abajo. La lluvia le había levantado el ánimo y pensaba que seguramente Lenin no había empezado su revolución colgando de una soga sobre el patio de un hotel.

Trataba de concentrarse en ese pensamiento para no sentirse tentado de mirar hacia el patio. En el segundo piso, el comandante lo ayudó a bajar y le mostró una latas de cerveza olvidadas en el suelo. Desde adentro llegaban los ruidos de dos ronquidos distintos. Abrieron las latas y brindaron con un gesto. Estaban bebiendo con las cabezas tumbadas hacia atrás cuando vieron, los tres al mismo tiempo, la chaqueta inflada por el viento y los brazos abiertos del agente Fred Richardson que caía en silencio, resignado a su suerte. Cuando se estrelló en la piscina, oyeron el ruido de una ola que arrastró las reposeras. Después volvió el silencio y nadie salió al patio. Chemir ató la penúltima cuerda y terminó la cerveza.

—¿Quién sería? —preguntó como para sí mismo.

—Enseguida lo vamos a saber —dijo Quomo—. Los Kruger no paran de hacer salvajadas esta noche.

28

Al entrar al Sheraton, Bertoldi sintió cierta aprensión, como si temiera encontrar su foto con un pedido de captura. Se tapó la cara con el sombrero y miró de reojo a la gente que vagabundeaba por el hall decorado con plantas artificiales. A medida que avanzaba por la alfombra logró simular un aire displicente. Se acercó a la conserjería y preguntó si su reserva había sido registrada. Un hombre calvo, de uniforme bordó, le alcanzó una ficha y una lapicera y el cónsul escribió sus datos y una dirección de Buenos Aires. Aunque trataba de no parecerlo, estaba tan emocionado y nervioso como la primera vez que su pa-

dre lo llevó a la cancha de Boca. De una oficina contigua
salió un hombre alto, de pelo plateado, que se presentó
como el gerente del hotel y le dio la bienvenida. Un alemán de pantalón corto y medias de colores dejó un pájaro embalsamado sobre el mostrador y pidió que lo subieran a su habitación. Entre la gente, el cónsul reconoció a
la adolescente casi desnuda, que ahora estaba sola.

El conserje le devolvió el pasaporte junto con una tarjeta de identificación. Una valija azul, muy castigada, apareció a su lado y el botones le preguntó si ya podía llevarla.
El cónsul asintió y lo siguió hasta el ascensor. Mientras subían recordó que en sus películas Cary Grant compraba
las camisas por teléfono y se dijo que tenía que poner la
suya a secar. El encargado de piso abrió la puerta y le
mostró cómo funcionaban el teléfono, los rayos para
broncearse y el equipo de video. Luego le entregó el programa de cine y le indicó cómo pedirlo por teléfono. Bertoldi sacó tres billetes de una libra y se los dio al botones.

La valija estaba junto a la cómoda y no era más pesada
que las que servían para viajar. Bertoldi se preguntó si sería prudente abrirla como a una maleta cualquiera y temió que en la cerradura hubieran puesto una bomba caza-
bobos.

Fue al baño, reguló el termostato a veinte grados, y
abrió las canillas. Luego tomó varios frascos de hierbas
del placard, volcó la mitad en la bañadera y guardó el
resto para llevárselos al consulado. Mientras esperaba que
subiera el agua, echó un vistazo al menú y sintió un inmediato deseo de probar el pulpo de 220 dólares y la langosta de 350. Hacía tantos años que no veía el mar, ni comía
mariscos, que deseó fervientemente que en el restaurante
no tuvieran un aparato para controlar los billetes.

Más tarde, sumergido en el agua perfumada, se dio
cuenta del riesgo que corría si cambiaba más dinero falso
y buscó en la carta alguna cosa que no pasara de las cinco

libras auténticas que tenía en el bolsillo. Eligió un sandwich de jamón y lo pidió desde el teléfono del baño. Después cerró los ojos y trató de disfrutar de su primera vez en el Sheraton.

Cuando le llevaron el sandwich se envolvió en la toalla, puso música y fue a comerlo junto a la ventana. Estaba hambriento y preocupado. Debía impedir que O'Connell utilizara el consulado como centro de la subversión si no quería terminar frente a un pelotón de fusilamiento. ¿Qué podía hacer? ¿Entregar la valija a la policía? ¿Pedirle con toda firmeza que se fuera cuanto antes de su casa? Le pareció que la última posibilidad era la más digna de un hombre de bien y miró de nuevo la maleta. Entonces advirtió que una de las cerraduras estaba abierta y que un trozo de plástico asomaba por un costado. Dejó el sandwich y colocó la valija sobre la cama. Tiró con cuidado del nailon, como si desenredara un ovillo, y se dijo que si hubiera una bomba ya habría estallado. De pronto, algo duro se trabó contra el cierre. Ganado por la curiosidad acercó una lámpara y sacó el plástico de un tirón. El primer volumen del *Libro Verde* de Muhamed El Kadafi cayó sobre la colcha y el cónsul se quedó un instante perplejo, mirando la tapa de cuerina con el título en letras de oro. Fuera de sí, se puso de rodillas y tironeó hasta que el cerrojo cedió con un golpe seco. Una montaña de billetes relucientes cubrió la cama y algunos, envueltos en fajos, cayeron al suelo.

El cónsul retrocedió con la boca abierta y un temblor en los labios. Balbuceó un "carajo" y una puteada sin destinatario preciso. La toalla se le había desprendido de la cintura y temblaba como un epiléptico. Lentamente se fue doblando hasta que las rodillas llegaron a la alfombra y levantó un billete en el que Benjamín Franklin estaba más serio que un monje español. Entonces tuvo un mareo y cayó de lado, con una mejilla apoyada sobre un fajo de cien y el oído acariciado por la música funcional.

Se despertó al caer la tarde con la sensación de haber navegado por un ancho río, entre caballos muertos y árboles a la deriva. Los dólares seguían allí, pulcros como estampitas de la Virgen, Bertoldi levantó un puñado contra la luz que se filtraba entre las cortinas y estuvo así, quieto, hasta que abrió la mano y por entre las lágrimas vio que la suerte, por fin, venía a su encuentro.

No se movió hasta el anochecer. Varias veces miró su nombre en la etiqueta de la valija y lo repitió con la garganta apretada. Luego se levantó y comió el resto del sandwich. A medianoche se vistió en un rincón, recogió la plata y la puso en la maleta, cuidadosamente. La cerradura le dio un poco de trabajo, pero al fin oyó el clik y se tranquilizó. Llamó a la recepción y preguntó el horario de los aviones para Europa. Con voz de circunstancias, el empleado le informó que la pista acababa de ser inutilizada por una bomba, pero que las líneas aéreas se harían cargo de los gastos de hotel. Preguntó a qué compañía debía cargar su cuenta, pero Bertoldi colgó sin responder y deseó a O'Connell los peores males del infierno. Aturdido, fue a lavarse la cara y se quedó unos minutos con los ojos fijos en el espejo. Cuando se sintió más tranquilo tomó la valija y bajó para dejarla en depósito.

Le dieron un ticket celeste y el gerente salió a estrecharle la mano otra vez, apesadumbrado por lo de la pista. Bertoldi volvió al consulado a pie, mirando la ciudad como si fuera la última vez. Su corazón, que saltaba de impaciencia, le decía que el largo exilio estaba llegando a su fin.

29

—Parecés un príncipe en la corte de los milagros —dijo Florentine y dejó caer el monóculo.

Quomo llevaba el saco de Lauri y éste se había quedado en mangas de camisa, como Chemir. Los tres estaban empapados y sucios. Habían atravesado París en el subte y Florentine los hizo subir por la entrada de los proveedores. Ahora estaban en un reservado donde había sillones y monitores de video que vigilaban las salas de juego.

—¿Tuvieron problemas con la *Sureté*?

—Los Kruger están en París, Florentine. Sólo quisiera estar seguro de que la información no salió de aquí.

—Estás acusándome de entregarte, Michel. Eso es muy cruel.

—Tal vez tu galán necesitaba un poco de dinero.

—Es incapaz de eso, no le da la cabeza.

—En una de esas estuvo leyendo novelas.

—Lo único que ha leído en su vida son los números de la ruleta.

—Nos vamos a quedar aquí por un tiempo, Florentine. No quisiera tener que arruinarle la cara a ese rufián.

—Ojalá te quedaras para siempre. Miráte al espejo, parecés un linyera. Y el pobre Chemir, todavía pensando en hacer revoluciones. . .

—No agachar más la cabeza —dijo Chemir como una letanía.

—¡Pero a esta edad hay que ser más juicioso! Parece mentira que anden trepando paredes y corriendo como los chicos. Y usted, joven, ¿de dónde sale?

—De la Argentina, señora.

—De la Argentina, qué gracioso. Vayan que el baño está preparado.

Se ducharon mientras las mujeres entraban y salían desnudas, diluidas por el vapor. Una africana les alcanzó ropas secas y les indicó un lugar para vestirse. Sobre una mesa encontraron los cigarrillos y el dinero que habían traído con ellos.

—Duerma un par de horas, Chemir, y encárguese del sultán. Necesitamos èse avión. Asegúrese también de que

la plata haya salido para Bongwutsi. No me gustaría que
O'Connell esté soliviantando gente desarmada. Si tiene
noticias de los Kruger, llámeme de inmediato.

—De acuerdo, Michel. Si se da una vuelta por la sala,
¿le molestaría jugarme una ficha al 17?

—¿Cuánto?

—Cien francos, cosa de tentar la suerte. Si sale, ponga
todo a primera docena y si se da hágame tercera columna
y corone el 36.

—Si me indican dónde, yo me voy a dormir —dijo Lauri.

—Métase en cualquiera de las piezas desocupadas y si
no quiere visitas cierre con llave.

—Claro que quiero. Hace meses que no toco a una mujer.

—Marque la cantidad y el color en la pizarra y métase
en la cama. Este lugar es tan caro que las mujeres son ob-
sequio de la casa.

Lauri caminó por un pasillo guiado por el aire de un
minué. Hizo cincuenta metros y desembocó en un salón
pintado de rojo, iluminado con arañas de bronce y decorado con frisos *fin de siècle*. La gente que estaba allí tenía
al menos ochenta años. Las parejas se tomaban de las manos o se movían abrazadas al ritmo de la melodía. Mujeres con hombres, mujeres con mujeres y hombres con
hombres, arrugados, frágiles, miopes y vestidos con sus
mejores ropas de juventud. La cara del pianista parecía
una calavera con unos pocos pelos blancos y sus manos
lentas eran poco más que los huesos de un esqueleto unidos por el pellejo amarillo. Lauri dio un paso atrás y se
quedó observando desde el corredor. Una camarera servía champagne y guindado. En un sillón cercano, una mujer de piel estirada y labios pintados besaba en el cuello a
otra que tenía el cabello teñido y los hombros salpicados
de manchas. Más allá, un hombre de bigotes como manu-
brios caminaba doblado y flaco como un alfiler de gancho

y molestaba a los bailarines. Alguien lo apartó bruscamente y una mujer con los pechos caídos hasta la cintura fue a buscarlo y lo sacó de la pista de una oreja. El minué se encadenaba sin solución de continuidad y a Lauri le pareció, de pronto, que los ojos angustiados del pianista se agarraban a los suyos con desesperación. Entre las caras estragadas creyó ver la de un hombre calvo y pequeño, pensativo, que no parecía saber adónde iba, pero también vio la suya, como en una foto trucada o retocada.

—Parece que soñaran todavía, ¿verdad? —dijo a su espalda Florentine y pasó una mano sobre los hombros de Lauri.

—A mí me asustan —dijo él.

—Llevan mucho tiempo juntos. Se aman y se odian y podrían matarse entre ellos por algo que quizá piensen, pero no pueden decir. No pueden o no se atreven, no lo sé, no soy de ese mundo. Lo más conmovedor es que todavía sueñan, aunque ya no se hablan. Se han dicho todo lo que tenían que decirse, pero siguen viniendo para estar juntos, para hacer la cuenta de los muertos, de los desertores, de los fracasados. A veces traen una noticia esperanzada. El pianista es el que sonó el sueño más hermoso, pero despertó antes de saber cómo terminaba. Le dicen El Hombre de la Utopía Inconclusa y es el preferido de Michel. Es el creador del minué sin final, una pieza que abarca todo y no conduce a nada pero que los hace felices. Aquella es Rosa, la terca, la que se atrevió a discutirlo todo. Es muy sexy, ¿verdad?

—Pensé que éste era un lugar de diversión; un casino, o algo así.

—Lo es. Al otro lado hay ruleta y póquer. A la derecha están las piezas de las chicas. Venga que le voy a mostrar.

Lauri se dejó conducir a través del salón. Le pareció que se llevaba con él la mirada suplicante del pianista utópico. Por una puerta muy angosta entraron a la sala de juego. Allí había gente de todos los continentes amontonada contra las mesas y Lauri oyó, mientras caminaba junto a Florentine, que alguien cantaba el 17.

—¿Dónde conoció a Michel? —dijo ella.

—En un hotel de Zurich, una noche que se confundió de habitación.

—Eso no es nuevo. También yo lo conocí así y tuvimos un largo romance.

Florentine se sentó en la barra e hizo una seña al barman.

—¿Fue hace mucho? —preguntó Lauri—. El la ama todavía.

—¿Qué quiere decir eso si no lo tengo conmigo? Véalo, allá está, en la última mesa. Gana siempre, pero no le basta. En Baden-Baden tuvieron que cerrar dos mesas porque no había suficientes fichas para pagarle. Quomo decía que había que vengar al pobre Dostoievsky. Eso fue hace como treinta años. Me acuerdo porque cuando volvimos a Francfort, se compró la mejor ropa y se fue a pelear por la independencia de Bongwutsi.

—¿Y el dinero?

—Es papel pintado para él. Creo que compraron armas, o sobornaron gente, no sé. ¿Qué hace usted con él?

—Lo sigo. Entre lavar platos en un restaurante y tomar el palacio imperial. . . Quizás un día venga a bailar con el pianista utópico.

—Todavía es demasiado joven para velar los sueños. ¿Le mando un par de chicas a la habitación?

—Es muy generoso de su parte, Madame. Me encantaría que viniera usted misma.

—Todavía tengo la esperanza de arrinconar a Michel. Será otra vez, si no se ofende.

Lauri le besó una mano y fue hasta el pasillo central. Al pasar junto a la última mesa vio a Quomo que recogía las fichas con un cesto de papeles. La gente lo aplaudía.

30

Bertoldi no podía pegar los ojos. Entre zumbidos de interferencia, la BBC detallaba los bombardeos de la flota británica contra las Malvinas y los preparativos para el inminente desembarco. Afuera arreciaban los truenos y los sapos anunciaban la estación de las lluvias. El cónsul ya había tomado la decisión de proteger el pabellón nacional con una retirada decorosa: como el aeropuerto seguía cerrado, el único medio de repliegue posible era el ómnibus a Dar-es-Salaam.

A las tres de la mañana, O'Connell oyó entre sueños un ruido en la habitación del fondo y sacó la pistola de abajo de la almohada. Descalzo, con el calzoncillo bajo el ombligo, salió del despacho y fue hasta el dormitorio donde Bertoldi estaba escuchando la radio, enfrascado en sus pensamientos. O'Connell comprendió que el argentino, abatido por la derrota, no pudiera dormir, ni siquiera darse cuenta de que alguien estaba tratando de forzar la ventana. Le hizo una seña para que no hablara y se agachó junto a la cama. Las bisagras saltaron casi sin ruido y afuera una sombra se movió recortada por la claridad de un relámpago. O'Connell dio un paso atrás, manoteó la radio que estaba sobre la mesa de luz y, antes de que el cónsul pudiera decir algo, la arrojó contra el postigo que empezaba a abrirse.

Hubo un estallido de vidrios y luego un instante de silencio. O'Connell subió a la cama y se tiró de cabeza por la ventana, llevándose las últimas astillas y la cortina de hilo que había cosido Estela.

Bertoldi oyó una exclamación de sorpresa y se asomó a ver qué pasaba. Alcanzó a distinguir la silueta de un hombre de traje, que se tambaleaba tomándose la cabeza, y al irlandés que le daba un puñetazo en el estómago. La figura se derrumbó en silencio entre los arbustos.

—Ayúdeme a entrarlo —dijo O'Connell y arrastró al intruso de las solapas. Tenía el calzoncillo lleno de abrojos y jadeaba como un perro. Se agachó a levantar la pistola y estornudó tres veces seguidas. Bertoldi tomó al hombre por los brazos y tironeó hasta introducirlo en el dormitorio.

—¿Lo conoce? —preguntó el irlandés.

—La primera vez que lo veo.

Lo arrastraron hasta un sillón del despacho; el hombre revoleaba los ojos y se tomaba la mandíbula.

—¡Qué país de mierda! —dijo en francés y sacudió la cabeza como para comprobar si seguía en su lugar.

—Empecemos por el nombre —dijo O'Connell y le dio una bofetada con el revés de la mano.

—Bouvard Jean, viajante de comercio —parecía derrotado—. ¿Usted es el embajador argentino?

—El señor —O'Connell señaló al cónsul.

—Me habían dicho que estaba solo.

—Le informaron mal.

—¿Ya llegaron los Kruger?

—No sea ridículo, los Kruger están en Siberia.

—No. Andan sueltos otra vez. ¿Dónde está el dinero?

—¿Qué dinero? —preguntó Bertoldi con un estremecimiento.

—El millón. No se haga el distraído.

—¿A quién se le extravió esa suma? —preguntó O'Connell, y se sentó sobre la mesa.

—A mí. Michel Quomo me la sopló en Zurich.

—Esa es una buena noticia. ¿Y por qué la busca aquí, si puede saberse?

—Los argentinos colaboran con él.

—¿Los argentinos están con Quomo? ¿Oyó eso, cónsul? ¡El comandante hizo un acuerdo con los argentinos!

—Yo no estoy enterado.

—¡Ahora entiendo por qué estoy acá!

—Bueno —el francés se puso de pie—, por ahora ganan ustedes, pero la plata tiene que aparecer porque si no van a rodar muchas cabezas.

—¿Usted no recibió ningún paquete, Bertoldi? —preguntó O'Connell.

—Hace años que no recibo correo.

—Entonces este hombre no se va a poder ir —O'Connell sacó la pistola y apuntó al francés—. Prepare el sótano.

—Cómo lo va a poner en el sótano. . . Está lleno de bichos.

—Si lo dejamos ir nos va a interceptar la encomienda. Por lo que dice ya debe estar por llegar.

—Es hora de que lo sepa, O'Connell —dijo Bertoldi y se sentó, apesadumbrado—. Si somos aliados se lo tengo que decir.

—Así me gusta, que no le tenga miedo a las palabras.

—La señora Burnett es mi amante.

O'Connell levantó la vela y lo miró un instante, azorado.

—¿Qué tiene que ver eso? ¿Quién es la señora Burnett?

- La esposa del embajador británico.

El irlandés se llevó una mano a la cabeza.

—¡Eso sí que es gracioso! —dijo el francés.

—Ahora está en Londres, pero se olvidó mis cartas en la embajada.

—Seguro que están bien guardadas —dijo el francés y se movió hacia la puerta—. Las inglesas son muy cuidadosas.

—Usted se queda ahí —dijo O'Connell y le apuntó—. A ver si entendí bien, Bertoldi: ¿me quiere decir que usted le estuvo escribiendo cartas y que ella las dejó al alcance del embajador?

—Versos. . . cosas románticas; comprenda que me sentía solo. . .

—No les quiero complicar la vida, muchachos —dijo el

francés—, pero si no voy a la fiesta de la reina lo van a notar enseguida.

—¡El cumpleaños de la reina! —exclamó O'Connell— ¿Cuándo es?

—El sábado. De paso van a festejar la reconquista de las Falkland. . . A propósito: ¿usted me puede decir dónde queda eso?

—Abajo, a la derecha —el cónsul señaló el mapa de la República.

El francés se agachó e hizo un gesto de contrariedad.

—¿Quién los aguanta ahora a los *british*. . .?

—¿Tiene idea de dónde quedaron esas cartas? —preguntó O'Connell.

—Entre las partituras para piano, me parece.

—Hay que ir a buscarlas enseguida, Bertoldi. Si ese tipo las encuentra nos va a mandar la tropa y adiós revolución.

—Si supiera cómo. . . Yo tengo la entrada prohibida.

—¿Usted tiene una invitación para la fiesta, Monsieur Bouvard?

—Claro que la tengo, no creerá que voy a entrar por la puerta de servicio.

—Démela, en una de esas se puede hacer algo. ¡A quién se le ocurre escribirle versos a una inglesa!

—Pensé que iba a encontrarme con profesionales —dijo Bouvard con un gesto de resignación y le entregó la tarjeta con la corona en relieve.

—¿Usted decía que los Kruger andan sueltos? —preguntó el irlandés.

—Colgaron a Patik en París. ¿Le puedo dar un consejo?

—No se moleste. Si no pudo liquidarlos Pol Pot, lo único que queda por hacer es mantenerse a distancia.

—¿Quiénes son los Kruger? —preguntó el cónsul.

—La reencarnación de Stalin, pero todavía no sabemos de qué lado juegan. Ahora lleve a este mercenario al sótano y consígame un smoking. Todavía podemos intentar algo para recuperar esas cartas.

31

Desde que Quomo y los suyos llegaron a lo de Florentine los Kruger se instalaron en la esquina del subte. Lauri
y Chemir se turnaban para hacer guardia desde una ventana, pero al cabo de un tiempo se convencieron de que los
alemanes no se arriesgarían a tomar la casa por asalto y
sólo los atacarían cuando salieran a la calle.

Las pocas noches en que dormía solo, Lauri tenía pesadillas de las que luego recordaba fragmentos: caras deshe-
chas, el minué inconcluso, un banco de escuela sobre el
que alguien había grabado un jeroglífico árabe. Se acos-
tumbró, entonces, a dejar la puerta abierta y la luz apaga-
da. A veces se quedaba dormido y lo despertaba una cari-
cia, pero nunca sabía con quién hacía el amor. Apenas
podía ver los ojos de las mujeres cuando encendían un cigarrillo y al día siguiente se esforzaba por reconocerlas en
la mesa del desayuno.

Estaba habituándose a pasar el tiempo en la cama, leyendo y observando a los Kruger, que ya formaban parte
del paisaje. Después de cenar miraba televisión y conver-
saba con los clientes; lentamente había dejado de pensar
en la Argentina y la revolución de Quomo le parecía cada
vez más lejana. Le sorprendió, entonces, que Quomo lo
convocara una noche a su habitación.

—¿Qué posibilidades tenemos de sacar a los Kruger de
allí? —le preguntó.

—¿Ya nos vamos?

—Muy pronto.

—¿A usted le parece justo abandonar a Florentine, dejar la ruleta, y tener que levantarse temprano por una revolución en la que nadie cree? Suponga que un día los

alemanes se vayan de la esquina y podamos ir al cine, a
los bares, a los museos. . .

—No, no, la plata ya está en Bongwutsi. O'Connell debe haber comprado el arsenal. Para ir al aeropuerto hay
que sacarse a esos asesinos de encima.

Lauri fue hasta la ventana y miró a la calle.

—No comen, no duermen nunca. . . Parecen robots.

—Son alemanes y tienen una orden, eso es todo —dijo
Quomo.

—Disculpe que me meta en esas cosas, pero me parece
que está ganando demasiado y si Florentine se funde nos
va a echar a la calle.

—Yo no puedo perder. Esta noche vaya usted y deje
veinte o treinta mil francos a punto y banca.

—Ir a perder no es muy gratificante. ¿Está seguro de
que la revolución necesita de mí?

—¿Que si necesita? Venga, mire: ¿se anima a hacer ca-
rambola desde aquí? Con buena luz, claro.

—¿Quiere que tire otra vez desde la ventana?

—Sí, pero no directamente —Quomo fue a correr la
cortina—. Vea si puede usar la entrada del subte para que
reciban las balas de rebote. El arma está en el altillo.

—No habla en serio.

—No le digo que sea ahora mismo, pero cuando los ingleses se vayan de Bongwutsi para las Falkland habrá que
salir corriendo. El sultán no puede tener el avión esperando todo el año. Le aviso para que no lo tome de sorpresa.

—Pensé que en una de esas nos quedábamos un tiempo
en París. Lenin lo pensó muchos años antes de largarse.

—Usted mire el cartel del subte y piense. Si quiere use
la columna del semáforo, pero no deje huellas, no quiero
que Florentine tenga líos con la policía.

32

Cuando empezó a llover el cónsul se puso el impermeable y fue a arriar por última vez la bandera. El cielo se había cubierto de nubes que ocultaban las montañas y acentuaban la negrura de la noche. El agua caía a un ritmo monótono y desaparecía chupada por la tierra reseca del jardín.

Dejó la bandera sobre el escritorio y miró a su alrededor. El bolso y la ropa de O'Connell colgaban de una silla rota. Al pasar, el cónsul se probó el panamá y sintió que le calzaba a la perfección. Se dijo que bien podía llevárselo como recuerdo y que quizá un día valdría tanto como la boina del Che Guevara.

Fue al dormitorio y tomó de encima del ropero la misma valija con la que había llegado años atrás. Metió cuatro camisas, un ambo blanco arrugado, un pulóver que Estela había envuelto en plástico, y fue al escritorio a preparar un pasaporte diplomático. Levantó la vela y miró las paredes descascaradas y grasientas. Todo estaba igual que el día de su llegada: el escudo nacional, el mapa de la República, la foto de Gardel, un poster de las Cataratas del Iguazú y dos tapices ordinarios que había dejado Santiago Acosta. También los muebles eran los mismos. Se dio cuenta de que en esos años no había dejado una sola huella de su paso por Bongwutsi. Apenas las borrosas copias en carbónico de sus informes semanales, en los que había respetado el estilo del último cónsul. Y a Estela en una tumba.

En un rincón del cielo raso vio la telaraña repleta de insectos. Varias veces estuvo a punto de sacarla de allí, pero por las noches, cuando la araña salía a pasearse por la pared, sentía que era la única compañía que le quedaba. Pasaba largos ratos mirándola tejer y llevarse los insectos que caían en la trampa. Ganado por una mezcla de nostalgia y aprensión, fue a buscar las botas que había dejado sin limpiar para no llamar la atención de O'Connell. Se cambió de camisa y usó las últimas gotas de brillantina. Había decidido cenar en el Sheraton. Calculó que si el banco tenía los números de los billetes (lo que después de una larga reflexión le pareció improbable), no los descubrirían hasta la mañana siguiente. Y para entonces, él ya estaría del otro lado de la frontera.

Descolgó el cuadro de Gardel, sacó la foto de Estela del portarretrato y los metió en la valija con la bandera y una botella de whisky. Luego se calzó las botas, tomó el impermeable y, antes de apagar las velas, recorrió otra vez esa casa que no olvidaría nunca. Pensó un instante en O'Connell y aunque sintió un escozor de inquietud, apostó a que saldría de la embajada sano y salvo.

Se puso el panamá y salió sin echar llave. Pese a la lluvia, el calor no había disminuido y el impermeable lo sofocaba. Miró hacia el bulevar y vio la garita iluminada. Hubiera querido insultarlos, pero prefirió ir a buscar un taxi sin llamar la atención. Se detuvo un momento en la esquina y cuando iba a refugiarse bajo un alero reconoció el camión de la municipalidad que lo había traído del palacio del Emperador. Recordó que aún no había pagado la cuenta en el bar al que los negros lo llevaron a festejar y se alejó a paso rápido, pegándose a la pared. Estaba a veinte metros de una bocacalle, cuando oyó un silbido largo y grosero. Se dio vuelta, cauteloso, y vio al chofer que corría a su encuentro. Cerca del camión había una luz de garrafa y dos peones cavaban un pozo en el pavimento.

—Ganando guerra —dijo el chofer, contento—. Radio decir que barcos ingleses a pique.

Se secó el pelo con un trapo sucio y se apoyó contra la pared.

—Festejar victoria antiimperialista —agregó, e hizo seña de que quería un cigarrillo. El cónsul se sorprendió por el lenguaje y le ofreció el paquete por debajo del impermeable.

—Otro día —dijo—. Ahora estoy apurado.

El chofer tomó el cigarrillo y no se movió de su lugar. Miraba la valija.

—Kiko tener entrada prohibida en el bar porque embajador no pagar cuenta.

Bertoldi sacó la plata falsa y le tendió un billete de cinco libras. Kiko reparó en los de cien y lo miró con una sonrisa pícara.

—Hombre de Falkland ser feliz —dijo en un inglés pausado, echando el humo por la nariz—; ganar guerra, sobrarle plata, tener mujer del enemigo. . .

El cónsul sintió un frío en la espalda y comprendió que no le sería fácil librarse de él. Agregó un billete de cien, pero Kiko no hizo ademán de tomarlo.

—A chicas gustar coche, ¿por qué andar a pie?

—No sé manejar —Bertoldi levantó la vista—. ¡Y yo que creí que usted era un amigo!

—¡Amigo! —Kiko se golpeó el pecho con la mano del cigarrillo—. ¡Muy amigo! Por eso no decir a nadie.

—Está bien. ¿Mitad para cada uno?

El chofer hizo un gesto comprensivo y tendió la mano. Bertoldi separó la mitad de los billetes y pensó "ya te va a agarrar el comunismo a vos".

—Ahora mejor —dijo Kiko—. Llevar amigo a cualquier parte.

Antes de que Bertoldi pudiera decir algo cruzó la calle y le dio un golpe de manija al Chevrolet. Los dos peones dejaron las palas y uno de ellos levantó el farol. Kiko les gritó algo y volvieron al trabajo sin mucho entusiasmo. El cónsul se había escondido en un pasillo de tierra, bajo un techo de zinc, y recién salió cuando el camión subió a la vereda. El motor echaba humo por las ranuras del capó

destartalado. Bertoldi abrió la puerta y se encontró con
el gesto despectivo de Kiko.

— ¡No blancos en cabina! —gritaba.

—Para eso voy a pie. . . —dijo el cónsul. Estaba perdiendo la calma.

—¿Ir al palacio?

—Al Sheraton.

—Subir atrás.

Bertoldi saltó a la caja y el Chevrolet arrancó para el
bulevar. Estaba aturdido y tenía miedo. Un caño de cemento rodó por la caja y lo golpeó en un tobillo. Un perro chiquito, muy flaco, salió de entre las herramientas y
se acercó a olfatear la valija. Bertoldi se asomó por un
agujero de la lona y vio que los soldados británicos hacían
señas con una linterna. Por un instante creyó que Kiko
iba a entregarlo. El guardia se acercó y al ver que se trataba de un negro le indicó con un gesto que siguiera viaje.
El Chevrolet cruzó lentamente la zona de exclusión y Bertoldi aprovechó la oscuridad para escupir el cartel donde decía *Argentines are not admitted*. Enseguida, mientras
cruzaban por la esquina del bulevar, observó que las limusinas salían de las embajadas, recorrían unos pocos metros, e iban a embotellarse frente a lo de Mister Burnett.
Pensó que era la primera vez desde su llegada al Africa
que faltaría a una fiesta de cumpleaños de la reina Isabel.

33

Mientras caminaba por la larga alfombra roja, vestido
de smoking, O'Connell recordó que de niño solía ver
en los noticieros de cine las ceremonias de Westminster,
cuando la reina pasaba revista a las tropas de la guardia
real. En ese tiempo Isabel II era joven y montaba un caba-

llo bien peinado y de patas blancas. Los soldados formaban de a cuatro en fondo y ella desfilaba, acompañada por los oficiales. El público guardaba un silencio profundo y levantaba a los niños sobre los hombros cuando la reina entraba en el patio y la guardia presentaba las bayonetas caladas. Aun para los fervientes patriotas de Irlanda, como el padre de Theodore O'Connell, la ceremonia merecía una solemne consideración. Ese día la cerveza borraba las diferencias hasta la medianoche. Mister O'Connell miraba la parada por televisión mientras preparaba los artefactos que debían estallar a la mañana siguiente. Cada vez que la cámara mostraba a la familia real, el padre acariciaba la cabeza de Theodore y le confiaba la responsabilidad de acabar para siempre con el imperio que sojuzgaba al Ulster. Tiempo después el hombre fue a la cárcel por doce años y murió a los pocos días de salir mientras activaba un explosivo de intensidad variable.

La madre había perdido un ojo cuando era soltera, al cortar un cable de alta tensión con una tenaza inadecuada. Desde entonces, la policía no tuvo dificultad para identificarla como culpable de todas las operaciones que los independentistas reivindicaban en las cercanías del lago Neagh. Theodore fue criado por su padre, que era un pésimo cocinero y olvidaba siempre pagar las facturas de la electricidad y el gas. Cada vez que la madre salía de la cárcel, el chico tenía que ir a pedir velas a la capilla del barrio para iluminar la casa y darle la bienvenida. A veces rezaban los tres frente al Cristo que guiaba la guerra, y Theodore desviaba la mirada para observar el ojo de vidrio de su madre. Como le prohibían llevarlo a la prisión, el padre lo guardaba en una caja, envuelto en algodón, y ésa era la primera cosa que ella buscaba al regresar. Una noche que el padre había tenido que huir de la ciudad, Theodore abrió la caja y confirmó una temida sospecha: el globo blanco y celeste se parecía a su ojo bizco como dos uvas del mis-

mo racimo. Supo, entonces, que la policía lo perseguiría
siempre por ser el hijo de su madre aunque nunca cortara
cables de electricidad ni hiciera saltar vías de ferrocarril.

Ahora, mientras atravesaba los jardines de la embajada
británica, O'Connell recibió sobre el rostro las primeras
gotas de la estación de las lluvias. Subió la escalinata y se
mezcló con los invitados en el enorme hall decorado con
tapices y pinturas. Saludó a derecha y a izquierda y encendió un cigarro de hoja. El smoking le iba bien y se sentía tan mirado y agasajado por las sonrisas como en el día
de su primera comunión. Antes de salir, Bertoldi le recordó que algunos embajadores llevaban a las recepciones un
distintivo de su país y le pinchó en la solapa el escudo
azul y amarillo de Boca Juniors. Disimulados bajo la camisa, llevaba la pistola, un sobre de gelinita, un detonador
con reloj, y algunos útiles que había preparado en el baño
para no alarmar al cónsul. El director de ceremonial, vestido con levita y peluca blanca, lo saludó con una inclina-
ción de cabeza y le pidió la invitación para anunciarlo.
O'Connell se la entregó y miró a los costados mientras sacaba una caja de fósforos franceses. De pronto oyó que el
de la peluca gritaba "Su excelencia el embajador de la República del Paraguay" y daba dos golpes de bastón contra
el piso. Una trompeta sonó cerca de su oído y lo dejó sordo por un instante. Mister Burnett salió de entre los ede-
canes y lo recibió con una sonrisa.

—Bienvenido en nombre de Su Majestad —dijo y le miró el escudo que llevaba en la solapa.

—Feliz cumpleaños —murmuró O'Connell mientras le
estrechaba la mano.

Mister Burnett hizo un gesto cumplido, como si excu-
sara una broma de mal gusto.

—No sé si ya he tenido el honor, Mister. . .

—General Fernández —dijo O'Connell tratando de imitar el acento del cónsul.

— Un placer, general. Me será de gran utilidad conocer su opinión sobre la guerra.

—Con todo gusto, excelencia.

La trompeta volvió a sonar y Mister Burnett dejó a O'Connell para recibir a Monsieur y Madame Daladieu.

—Mes hommages, Madame —le besó la mano y volvió la cabeza para mirar al irlandés —. Les prometo que la noche va a ser divertida: el commendatore Tacchi insiste en arruinarme las recepciones. Ahora con un general paraguayo.

—¿Dónde está? —preguntó la señora Daladieu.

—Allí, a mi izquierda.

—Qué divertido —dijo Madame Daladieu—. ¿Cómo lo descubrió?

—No está en la lista de invitados.

—Fascinante —exclamó Daladieu —. ¿Y si se tratara de un agente enemigo? Un argentino que se hace pasar por. . . ¿cómo dijo?

—Paraguayo. No, esto es cosa de Tacchi. Ya me tiene cansado.

—¿La señora Burnett participa del juego?

La mirada del inglés se extravió por un instante.

—No, está en cama con una hepatitis virósica. Las flores que hay en las mesas las mandó ella.

—La pobre . . . — dijo Madame Daladieu.

El francés siguió a O'Connell con la mirada. Estaba paseándose entre los invitados y se dirigía hacia la escalera de mármol.

—Es hora de que desembarquen —comentó—, si no van a perder media flota, como en Suez.

—Es inminente, mi batallón salió anoche para allá. ¿Qué mira?

—Al paraguayo. Va derecho al museo.

—Va a terminar como el jardinero que Tacchi me quiso hacer pasar por presidente de la Unión Africana.

—No era el jardinero, Mister Burnett. Recuerde los problemas que tuvimos después.

—Tonterías, fue una jugarreta de Tacchi.

—En su lugar yo haría vigilar a éste; no tiene aspecto de paraguayo.

Mister Burnett hizo una seña a un hombre fornido, con una flor en el ojal.

—Sígame a ese tipo.

—¿Cuál, señor?

El inglés levantó la cabeza y vio que O'Connell había desaparecido.

—Un rubio, de barba, que fuma un cigarro.

—Hay muchos así, señor.

—Bizco. Llevaba algo en la solapa.

—¿Como yo?

—No una flor. Algo, ¡otra cosa, imbécil!

—Sí señor.

—Están pasando cosas raras en este país —dijo Monsieur Daladieu—. A mí se me perdió un agente de París.

Mister Burnett se quedó un momento ensimismado.

—Es curioso cómo la gente deserta últimamente...

—¿También en Inglaterra? —se asombró la mujer de Daladieu.

—Es un mal de la época, Madame. Ahora, si me permite, voy a buscar al commendatore Tacchi. Estoy harto de que me arruine las fiestas.

34

Chemir llegó con la noticia de que los británicos habían levantado el batallón de Bongwutsi para enviarlo a las Malvinas. De inmediato, Quomo telefoneó al sultán El Katar y lo invitó a cenar en casa de Florentine para conversar sobre el negocio del alcohol desalcoholizado y el viaje a Bongwutsi. Luego ordenó que el whisky y las otras bebidas se sirvieran en jarra y que las chicas musulmanas tuvieran el día franco.

Lauri miró una vez más por la ventana y vio a los Kruger en el mismo lugar, incorporados al paisaje como los anuncios de las galerías Lafayette y las cabinas de teléfono. Como siempre, uno de ellos comía una salchicha, otro un helado y el tercero se entretenía con un juego electrónico. Los tres tomaban cerveza y fumaban cigarros. El canasto de residuos estaba lleno de latas vacías. Lauri sospechaba que dormían en alguno de los autos estacionados allí y que usaban el baño del *bistrot,* aunque nunca los vio separarse. Tenían los trajes azules muy arrugados, pero nadie los hubiera tomado por vagabundos: más bien parecían desocupados que esperaban noticias de un nuevo empleo. No hablaban y estaban siempre de pie; a veces uno se acercaba a otro, le tocaba un brazo con el codo y los tres reían como si alguien hubiera contado un chiste.

Lauri observaba que siempre estaban bien afeitados, pero Chemir sostenía que, simplemente, no les crecía la barba. Lo que más parecía molestarles era que los vecinos sacaran a pasear los perros. Cuando los animales orinaban contra la pared y ensuciaban el piso, se indignaban y recriminaban a los dueños. Un par de veces, el argentino los vio conversar con la policía hasta que el patrullero se iba y ellos volvían a la vereda. Durante todo el día leían *Pravda* y *Die Welt* y hojeaban revistas de historietas que apilaban cuidadosamente sobre el buzón. Todo parecía serles indiferente: el hombre que pasaba seis veces por día a recoger la correspondencia, los barrenderos, las máquinas que limpiaban la calle, los pasajeros que esperaban el ómnibus, los pegadores de afiches y el cartero. Cuando fumaban echaban la ceniza en el canasto y el que comía helados se guardaba el envoltorio y los palitos en un bolsillo del saco.

Mientras los observaba desde la ventana, Lauri pensaba cómo podía hacer para sacarlos del paso sin acercarse a ellos ni comprometer el negocio de Florentine. A la mañana vio que uno de ellos llegaba con una torta adornada con velitas y que los tres las soplaban al mismo tiempo mientras se daban codazos y se felicitaban con abrazos y apretones de manos. Entonces tuvo la idea de mandar a comprar una caja de Partagas y probar la eficiencia del correo francés.

El Katar y Marie-Christine llegaron a las siete y media de la tarde en el Rolls y Quomo bajó a recibirlos con un ramo de flores para la dama.

—Supongamos —dijo el sultán cuando se sentaron a la mesa—, que nosotros llegamos con la destilería y el ejército se resiste a que la instalemos. Hay que tener en cuenta que esto es un cambio profundo en las costumbres de una sociedad, casi una revolución.

—De eso se trata, señor mío —replicó Quomo—. La gente está harta de que la envenenen con Coca-Cola y si nosotros producimos nuestra propia bebida vamos a lograr un éxito formidable. Claro, podemos tener algunos problemas con Londres y Washington, pero eso está previsto y las masas van a salir a la calle. En una de esas, me animo a decirle, hasta se sublevan.

—Lo más difícil va a ser cargar la destilería —dijo el sultán.

—Olvidemos eso. Ya le dije que lo único que necesito es un piloto de los de antes, que pueda volar sin radar y aterrizar en cualquier parte.

—¿Entonces no hay maquinaria?

—No. Nosotros llevamos la idea y después todo se arma allá, sobre la marcha.

—Pero ¿qué le va a dar a esa gente cuando salga a la calle?

—Argumentos.

—¿Entonces para qué quiere el avión? —el sultán parecía decepcionado.

—Para decirle la verdad, tengo prohibida la entrada en el país. Y Chemir también, porque de joven fue medio izquierdista. Encima este amigo argentino está en guerra y no lo quieren en ninguna parte. Usted me dirá por qué no pasamos la frontera disfrazados. . . . Es que para atravesar una frontera hay que tenerla cerca y yo, sigo hablándole con el corazón en la mano, tengo cerradas todas las aduanas de Africa, excepción hecha de Argelia, que queda muy lejos de Bongwutsi.

—Esa prohibición no debe incluir a Libia, estoy seguro.

—Nunca se sabe, sultán. El segundo capítulo de la *Exégesis al Libro Verde* fue muy discutido.

—No veo qué tiene que ver. . .

—Esa parte la escribí yo.

—¿Qué está diciendo?

—A pedido de Kadafi, por supuesto. *Las etapas, ¿son indispensables o no?* El título se lo puso él.

— ¡Brillante! —exclamó El Katar—. Es ahí donde dice que el Partido Comunista no es científico.

—Es que el coronel acababa de leer a Althusser e insistía en que no se pueden pasar por alto ciertas etapas en la construcción del poder popular y yo le porfiaba que sí. Claro, en ese tipo de discusiones uno se pone bastante terco y cae en abusos teóricos. "Demuéstrelo", me dijo el coronel, y me alcanzó una libretita con lomo de alambre. Bueno, qué compromiso, pensé, pero me fui a un rincón de la carpa y estuve escribiendo toda la noche. No se vaya a creer que él se fue a dormir. Se paseaba, fumaba uno detrás de otro, se arrodillaba a rezar, estaba obsesionado por el tema. . .

—"Ha llegado el momento de discutir claramente nuestra situación sin tener miedo de las palabras" —recitó el sultán—. Le señalo que el coronel no fuma.

—Ya lo sé, esa noche fumaba de los míos porque estaba muy excitado. Tosía mucho, me acuerdo. A la madrugada le pasé la libretita con los apuntes y salimos a leerlos a la luz del amanecer. "Está bien", me dijo, "usted liquida de una vez por todas el argumento de la evolución al co-

munismo por etapas. Déjemelo, éste va a ser el segundo
capítulo del libro." Después, cuando se publicó, hubo un
revuelo bárbaro y el mismo coronel salió a decir que no
estaba completamente de acuerdo.

—A mí, para serle franco, me parece apresurado decir
que se puede saltar por encima de la dictadura del proletariado.

—Eso lo dice él. Yo puse que una revolución popular
puede abolir las etapas, pero el coronel agregó por su
cuenta unos cuantos párrafos contra el marxismo y eso
yo no lo suscribo. Por eso le digo que no sé cómo está la
relación de los libios conmigo. En un tiempo había lío.

—No creo. Lo del marxismo se revisó mucho y esto
del desalcoholizado puede interesarle al propio coronel
porque es un golpe contra el imperialismo.

—Entonces usted nos lleva. . .

—Yo estoy de vacaciones y me anoto en cualquier
aventura.

—Bueno, esto no es precisamente una aventura.

—No lo decía en el sentido novelesco. Digo que acepto el destino de mis hermanos africanos. Si quiere, incluso puedo proveer alguna chatarra que dejan los amigos
que pasan por aquí.

—Ya es la hora —dijo de pronto Lauri, y enseguida se
escuchó una explosión que hizo temblar los vidrios. Chemir corrió a la ventana.

— ¡Los Kruger! —gritó—. ¡Se están incendiando!

Quomo se paró y fue a mirar. En menos de un minuto
oyeron una sirena.

—Esto es cosa suya —dijo, dirigiéndose a Lauri —. ¿Con
qué les tiró?

—Estaban festejando un cumpleaños. En el altillo encontré unas estampillas cubanas, y se me ocurrió que les
gustaría recibir una caja de habanos de parte de Fidel Castro.

35

En la planta alta, O'Connell encontró un vasto hall desierto. Al fondo, un sereno negro fumaba a hurtadillas. Daba una pitada y enseguida escondía el cigarrillo detrás de la espalda. El irlandés lo tomó de sorpresa y lo encaró con un gesto de reproche.

—Acá se metió un negro —dijo.

—No, señor —respondió el sereno, inquieto—, yo lo habría visto.

—Cuando usted prendía el cigarrillo.

—Le aseguro que no, señor —temblaba y la brasa empezaba a quemarle los dedos —, aquí no entró nadie.

— ¡Apague eso!

—Sí, señor —el sereno sacudió una mano y el cigarrillo cayó al suelo. O'Connell lo pisó.

—Vamos a buscar a ese tipo.

El irlandés le dio un empujón y el sereno fue adelante, lentamente. Le costaba arrastrar el pantalón largo y la chaqueta de botones dorados. Entraron a un gigantesco pabellón que olía a formol. De allí, a oscuras, podían escuchar la lluvia contra las ventanas. El sereno quiso encender las luces pero el irlandés lo tomó de la chaqueta.

—Deje, está bien así.

—Si buscamos a un negro lo mejor es prender la luz, señor.

O'Connell se quedó un rato en silencio. No tenía la menor idea de dónde se encontraban.

—A ver, encienda un fósforo —dijo.

El negro cumplió la orden. De abajo empezó a llegar un aire de vals. O'Connell lo acompañó con movimientos de la cabeza y escuchó un ruido de pasos que subían la esca-

lera. El sereno apagó el fósforo y sacudió los dedos. El
que se acercaba prendió una linterna y avanzó hacia la llave de luz.

—Ya lo tenemos —dijo O'Connell por lo bajo.

Cuando el agente inglés vio la llama, pensó que había
encontrado al hombre que buscaba. Se acercó al interrup-
tor, pero antes de alcanzarlo sintió un golpe seco en una
pantorrilla. Se agarró la pierna creyendo que había tropezado con un mueble, y apretó los dientes para no gritar. Buscó en la oscuridad una pared donde apoyarse y
la linterna se le cayó de las manos. Entonces O'Connell
le pasó un brazo alrededor del cuello y lo ahogó antes de
que pudiera recuperarse de la sorpresa. Cuando el cuerpo
cayó al piso, el sereno lo pateó y masculló algo en su
idioma.

—Voy a tener que pasar un informe —dijo O'Connell.

—Un informe no, señor. Voy a perder el trabajo.

—¿Ah, sí? Y qué me sugiere, ¿que me lo coma?

—Lo tiramos por la ventana. Vino a robar y se cayó —
hizo un gesto con el pulgar hacia abajo.

—No sea estúpido, cómo va a llegar un ladrón hasta
aquí.

—Debe ser de la casa, señor. Deje que le vea la cara.

—No, no encienda, ¿qué importa si es de acá?

—Que puede ser un pariente, señor. Tengo un primo
que siempre pregunta por el museo y no me gustaría arrojarlo por la ventana.

—La idea fue suya.

—No había pensado en mi primo, señor.

—¿Anda de smoking su primo?

—Eso sí que no. Trabaja de cocinero.

—Bueno, éste tiene smoking. Toque.

—Raro un negro de smoking, señor. Espero que no ha-
yamos golpeado a un diplomático.

—No se preocupe. Vaya a abrir una ventana.

O'Connell guardó la linterna y cargó al inglés sobre un

hombro. Oyó un aire de Strauss y se dijo que era hora de regresar al salón antes de que notaran su ausencia. El negro abrió el ventanal y la lluvia les salpicó las caras. El irlandés depositó el cuerpo sobre el rellano y miró hacia el jardín.

—Se va a romper todo —dijo.

—Si lo largamos despacio, no —insistió el sereno.

—Bueno, agárrelo de las piernas.

El sereno empujó por los tobillos hasta que el cuerpo quedó colgando al otro lado de la ventana.

—¿Lo suelto? —preguntó, agitado.

—Todavía no, acompáñelo un poco más, que no se golpee tanto. Eso, inclínese. Lo ayudo.

El negro había quedado con medio cuerpo a la intemperie, sosteniendo el peso muerto. O'Connell se colocó detrás de él, lo tomó de las rodillas y empujó bruscamente hacia afuera. El sereno salió catapultado detrás del inglés. O'Connell oyó una exclamación de sorpresa y luego el golpe contra la vereda. Al fondo se veían las luces del muelle y a un costado, sobre la colina, la rampa de lanzamiento de bengalas y cohetes que Mister Burnett había preparado para festejar el cumpleaños de la reina y el desembarco de la flota británica en las Malvinas.

36

Acariciados por una luz difusa, los músicos se dejaban llevar por la melancolía del *Danubio Azul.* Los violinistas habían colocado pañuelos entre sus barbillas y la lustrosa madera de los instrumentos. Los otros aprovechaban las pausas para secarse la transpiración. Todas las mesas estaban distribuidas alrededor de la que ocupaban Mister Burnett, el Primer Ministro de Bongwutsi y los demás embajadores con sus esposas. Entre los representantes de Francia e Italia había una silla vacía. Mister Fitzgerald, de los Estados Unidos, preguntó por el diplomático ausente y Mister Burnett sonrió mientras miraba al commendatore Tacchi.

—A esta altura ahora ya debe estar baldeando los pisos. ¿A usted le parece que se puede bromear en un día como éste?

—Yo no lo tomaría tan a la ligera —dijo Monsieur Daladieu—. Los argentinos podrían intentar algo.

—¿Qué vendría a hacer un argentino aquí? —preguntó Herr Hoffmann.

—Rendirse —dijo Mister Burnett, y todos rieron mientras los camareros servían la centolla—. ¿Va a tenernos en suspenso toda la noche, commendatore?

—Si quiere mi opinión, estoy de acuerdo con Monsieur Daladieu: si aquí adentro hay un argentino que no sea Bertoldi estamos todos en peligro.

Cuando oyó nombrar al cónsul, Mister Burnett advirtió que se había olvidado de llamar al banco para ordenar que le pagaran el sueldo y temió que el argentino pudiera acusarlo un día de no practicar el *fair play*.

—¿Usted cree que esa gente podría haber enviado hasta aquí un comando suicida? —intervino el Primer Ministro y se llevó la copa a los labios.

—No veo cómo —dijo Herr Hoffmann—. El aeropuerto sigue cerrado. Ahora, si dice ser paraguayo y Mister Burnett asegura que tiene aspecto europeo, habría que vigilarlo. A ver si es el que pone las bombas. . .

—Ya está hecho —dijo el inglés—. Ese hombre no habla una palabra de español, ¿verdad commendatore?

—No tengo idea. Ni siquiera lo he visto.

—¡Ah, vamos, sus farsas no engañan a nadie! El año pasado me mandó a su jardinero disfrazado. ¿Quién es ahora? ¿Uno de esos tipos de la P-2 que andan por su embajada?

—Espero que sea una broma —dijo secamente el italiano y dejó los cubiertos.

—Soy yo el que está harto de sus desplantes. Mañana mismo voy a enviarle una protesta por escrito.

—Quiero señalarle —Tacchi se acomodó los lentes— que su paranoia le valió a Europa un disgusto con la Unión Africana cuando usted tuvo tres días lavando platos al presidente Penkoto.

—Eso es cierto —intervino Monsieur Daladieu—. El crédito para que olvidaran el desaire tuvimos que darlo nosotros. . .

—Era jardinero —insistió el inglés—, mis servicios lo confirmaron después. Y si los franceses otorgaron el maldito crédito fue para dejar en ridículo a Gran Bretaña.

— ¡Sus servicios! —se rió Tacchi—. ¿Qué hacían sus servicios el día de la explosión en el bulevar? Casi matan a su mujer allí.

—Commendatore, es usted un desfachatado. Si vuelve a tocar a Daisy voy a cortarlo en pedazos. . .

Todo el mundo olvidó la centolla y el caviar. Frau Hoffmann tocó a su esposo con el codo.

—Señores, guardemos las formas —intervino el alemán.

—¿Qué pasa con su mujer? —preguntó la señora de Tacchi y miró a su marido como si lo sorprendiera con la camisa manchada de rouge.

—Esto va a interesarle, señora —Mister Burnett metió la mano en el bolsillo—. Tuve que enviar a Daisy a Londres con una crisis de depresión después que el mequetrefe de su marido intentó propasarse con ella.

En la mesa se hizo un pesado silencio. El embajador británico sacó la foto en la que el commendatore Tacchi tomaba a Daisy en sus brazos y la arrojó sobre la mesa golpeando con los nudillos.

—Usted se ríe de mis servicios de inteligencia, ¿eh? ¿Qué me dice de esto?

—Mon Dieu, quelle catastrofe! —exclamó Daladieu.

Bruscamente, Tacchi se puso de pie.

—Sepan disculpar, señores —se dirigía al resto de la mesa—, no puedo permanecer un instante más en este lugar. ¡Carmella, nos vamos!

Pero Carmella seguía allí, con las uñas hundidas en el mantel.

— ¡Italianos! —exclamó Burnett y miró a su alrededor—. ¡No tienen ningún sentido del honor!

—Los asuntos privados. . . —intervino el Primer Ministro, pero Mister Burnett lo paró con un gesto.

—Usted no se meta. ¡Le apuesto a que esos italianitos de las Falkland se desbandan más rápido que en Caporetto!

— ¿Cómo se permite. . .? —Tacchi dio un paso al frente y se paró frente al inglés— ¡Usted es un miserable!

Agregó algunos insultos en piamontés y le cruzó la cara de una bofetada. Los murmullos de las conversaciones se apagaron y sólo quedó en el ambiente la Novena Sinfonía. Todos los embajadores y sus esposas se pusieron de pie. El commendatore Tacchi estaba orondo, como si acabara de desembarcar en Abisinia. Mister Burnett tenía la cara roja de ira y dio gracias a Dios por que Daisy no estuviera allí para presenciar semejante bochorno. Monsieur Daladieu, que esgrimía la foto, se volvió hacia los invitados y levantó los brazos.

—Arretez la musique! C'est le champ de l'honneur qui nous attend!—. Luego puso una mano sobre el hombro del embajador británico.

—Mister Burnett, tenga la bondad de nombrar a sus padrinos.

El inglés estaba todavía tocándose la mejilla ofendida.

—Cualquiera, pero que el duelo sea a pistola —dijo—. Quiero terminar de una vez por todas con este aventurero.

37

El maestro de ceremonias ordenó a la orquesta que llevara los instrumentos bajo la glorieta y suprimió a Rossini del repertorio para garantizar la imparcialidad más absoluta en el campo del honor. El coronel Igor Yustinov se acercó al teniente Tindemann y le indicó que fuera a informar a Moscú de la desavenencia surgida entre los aliados y, al mismo tiempo, recogiera la cámara fotográfica. El coronel, que no había presenciado nunca una muestra tan pintoresca de la decadencia capitalista, se abrió paso entre los diplomáticos y sus mujeres para seguir de cerca los preparativos del duelo.

Monsieur Daladieu dejó a los rivales separados en la galería y ordenó al agregado naval que trajera las mejores armas de su colección. Mister Fitzgerald y Herr Hoffmann, padrinos del inglés, propusieron que los adversarios dispararan a veinte metros de distancia. El portugués Lopes Carvalho y el holandés Larsen, apoderados del commendatore Tacchi, sugirieron el calibre veintidós y un largo de treinta metros sin ninguna iluminación. Monsieur Daladieu pidió un tiempo de reflexión y fue a inspeccionar el terreno, más allá de la pileta de la natación. A medida que se internaba en el parque, pensó que tal vez habría sido preferible organizar el enfrentamiento en la cuadra de los negros. Caviló un momento, mientras el agua se le deslizaba por entre las suelas de los zapatos, y recién entonces advirtió que había olvidado las reglas aprendidas en la escuela de Saint-Cyr. Sabía que llovería durante varios meses, pero no recordaba ningún duelo a pistola que se hubiera celebrado bajo techo. Entonces le pareció que el lugar más apropiado sería la cancha de tenis, donde al menos los invitados podrían guarecerse bajo la tribuna. El francés hubiera preferido que Mister Burnett y el commendatore Tacchi usaran la nobleza de la espada para lavar la afrenta a primera sangre, pero el británico se negaba a entrar en razón. Los camareros, de rigurosa etiqueta, sirvieron champagne y bocaditos en la galería. La orquesta había retomado a Strauss y el tintineo de la lluvia desapareció detrás de los violines y las flautas. Mister Burnett se enjugó la frente y el cuello con un pañuelo y avisó a Herr Hoffmann su intención de apuntar directamente al corazón del italiano. Desde el día en que encontró el prendedor de Daisy en el establo de los australianos, sentía que algo había muerto dentro de él, aunque nunca supuso que su mujer sintiera tanta vergüenza como para escapar a Londres.

El oficial francés llegó con una caja de pistolas y Daladieu lo interrogó sobre las propuestas de los padrinos. El agregado naval estimó que los veinte metros pedidos por Burnett eran menos mezquinos que los treinta propuestos por Tacchi, pero al mismo tiempo observó que iluminar el parque sería como rebajarse a montar un espectáculo de circo. Daladieu encontró las sugerencias razonables y decidió hacerlas suyas.

El inglés eligió el arma y se levantó de un salto, apurado por terminar con su adversario. El italiano, que nunca había disparado un tiro, insistió en la cuestión de la distancia, pero Monsieur Daladieu rechazó la objeción y pidió a los rivales que se reunieran en el campo de tenis. Ni bien oyeron la orden del francés, los invitados pasaron la voz y corrieron a buscar un lugar en la tribuna.

Cuando el coronel Yustinov comprobó que hasta los sirvientes abandonaban el edificio de la embajada, concibió la idea de que el teniente Tindemann fuera a echar un vistazo a las oficinas del agregado militar de la OTAN.

38

Marie-Christine los esperaba en Orly con los pasaportes, el brevet de piloto para Quomo y cuatro cajones sellados como valija diplomática. En la bodega del avión había un lugar especial para el Rolls Royce y la secretaria no dejó que le vaciaran el tanque de nafta. El sultán entregó su plan de vuelo hasta Riad y se despidió de la francesa besándole la mano en la que acababa de colocar un anillo con una esmeralda grande como un garbanzo.

El interior del Boeing estaba preparado como una suite de hotel, con dos dormitorios y una sala de juego. Los baños eran iguales a los de los aparatos de línea, pero decorados con sentencias del *Libro de las mil y una noches*. Al pasar frente a la ruleta, Lauri hizo girar el tambor como al descuido. Desde la escalerilla, Quomo gritó "negro el quince", y apareció en la puerta mordiendo una manzana. La bola hizo una última finta y se detuvo en el número cantado. Sonriente, Quomo pasó frente al argentino, le dio una palmada en un hombro y siguió hacia la cabina de mando.

Chemir y Lauri buscaron en vano una botella de alcohol y al fin se sirvieron una naranjada antes de ajustarse los cinturones de seguridad. Por el parlante, el sultán explicaba el uso de los chalecos salvavidas y la ubicación de las puertas de emergencia. Durante el decolaje, Lauri cerró los ojos y recordó la mirada suplicante del Pianista de la Utopía Inconclusa. Podía oir, mientras el avión se metía entre las nubes, la melodía del minué sin final que él mismo estaba silbando por lo bajo. Agitó los cubitos en el vaso y bebió el último trago. El aparato se sacudió un poco, pero el argentino estaba seguro de que Quomo sabía lo que hacía y se dejó llevar por la modorra.

Se despertó cuatro horas después, cuando volaban sobre un desierto marrón que se diluía en el horizonte. El sultán estaba a su lado, con la cara pegada a una ventanilla. Por la puerta de la cabina, Lauri vio la espalda de Quomo que iba al mando del aparato.

—Libia —dijo El Katar. Tenía una sonrisa beata y el turbante le caía sobre la frente arrastrado por el peso del diamante.

—¿Conoce Libia? —preguntó Lauri y se sirvió una Coca Cola.

—¡Si conozco...! Fíjese allá, aquella mancha verde. Ese oasis lo perdimos tres veces y otras tantas lo volvimos a recuperar. Apenas teníamos tiempo para tomar un poco de agua que ya se nos venían encima con los Harrier y los tanques. Diga que los beduinos como tanquistas son un desastre y cuando los atropellamos con los camellos se quedaron encajados en las dunas y se rindieron enseguida.

—¿Estaba el tal O'Connell allí?

—No, él estaba en la columna del coronel Kadafi. Yo no lo conocí, pero en Trípoli todavía se habla del personaje porque quiso convertir a los bereberes al catolicismo. Creo que el coronel lo deportó al Chad.

—¿A usted le parece que Quomo va a tomar el poder?

—El coronel le tiene fe. Vamos a entrar a Bongwutsi en el Rolls, yo al volante, usted al lado mío y los negros en el lugar de honor, como corresponde. Lo que me preocupa son los mosquitos. Habrá que andar con las ventanillas cerradas porque me dijeron que allí son grandes como pájaros. ¿Conoce la selva?

—Estuve en el monte, pero supongo que no es lo mismo. ¿Qué armas traemos?

—Las que tenía a mano. Como los chiitas están en plena ofensiva nosotros nos tenemos que conformar con lo que nos devuelven los alemanes y los vascos. Si yo hubiera sabido que Quomo empezaba la campaña le preparaba algo mejor. La verdadera revolución de este hombre es el desalcoholizado.

—No me diga que usted cree en eso.

—El coronel cree. El futuro es de los negros, Lauri. Lo dice el *Libro Verde*.

—Puede ser, pero es de temer que ese capítulo también lo haya escrito Quomo.

—¿Qué más da? Ahora si me permite voy a echar un vistazo al radar: nos estamos internando demasiado en el Sahara y si seguimos así, vamos derecho a La Meca.

39

O'Connell pasó del museo a la sala de billares y de allí, por un pasillo, a la biblioteca que Bertoldi le había señalado en el plano. De vez en cuando prendía la linterna para situarse y avanzaba siguiendo los dibujos de la alfombra. Atravesó un corredor que comunicaba varias oficinas, y por fin ubicó la sala de música y luego un dormitorio. Empezó por revisar entre papeles, fotos y postales, y siguió por los cajones de la ropa blanca. Daisy aparecía tan hermosa en los retratos, y los corpiños eran tan abundantes, que O'Connell se detuvo un instante a envidiar al cónsul. Continuó por el ropero y luego separó uno a uno los libros y los discos. Al fin, entre los ejemplares de la colección 1981 del *Times Literary Supplement,* encontró un paquete de cartas escritas con letra vacilante. Estuvo tentado de echarles una mirada, pero recordó que su padre le había enseñado a considerar la escritura no impresa como un secreto del alma. Guardó el paquete entre la camisa y el chaleco, y volvió al pasillo con la linterna encendida. Calculó que la cena ya habría comenzado y temió que Mister Burnett notara su ausencia.

Al salir levantó la luz y descubrió la oficina del agregado naval. Puso la linterna en un bolsillo, lo pensó un mo-

mento, y le pareció que era un buen lugar para colocar el
explosivo. Entornó la puerta y vio el resplandor de la piscina a través de un vidrio salpicado por la lluvia. Preparó
el trotyl, le agregó un reloj calibrado y disimuló el bulto
bajo la biblioteca.

Iba a salir de la oficina cuando percibió una luz en el
pasillo. Contuvo la respiración, pero sólo pudo oír la lluvia y el tic tac de la bomba. Se preguntó si el agente de seguridad inglés podía haberse recuperado tan rápido, o si
lo habían encontrado en el jardín y ahora eran otros quie-
nes lo buscaban. Fue hasta la ventana, corrió la traba y la
abrió. Más allá de la piscina vio las sombras apuradas de
los blancos que corrían bajo la lluvia. Cuando desaparecieron de su vista, escuchó a un nativo que llamaba a
otros y les avisaba, alborozado, que por fin habían llegado las armas. Otros negros aparecieron corriendo por el
parque, conversaron un momento entre ellos y fueron detrás de los blancos. O'Connell miró su reloj y comprobó
que apenas había pasado media hora desde su ingreso a la
embajada. De pronto oyó un ruido en el despacho conti-
guo. Avanzó en la oscuridad, levantó el seguro del revólver y sostuvo el paquete de cartas que se le resbalaba entre la ropa. La oficina del agregado militar de la OTAN estaba cerrada, pero O'Connell sintió que alguien se movía
al otro lado. Retrocedió, crispó el dedo sobre el gatillo y
abrió la puerta de una patada.

Subido al rellano de la ventana, el teniente Tindemann
se disponía a bajar por una cuerda que había atado en el
pie de la caja fuerte. Arrodillado, con la cámara fotográfica al cuello y un paraguas en la mano, el soviético esbozó una sonrisa incómoda y abrió los brazos para mostrar
que estaba desarmado.

—Quédese con el rollo y olvidemos el asunto —dijo.

—La soga —pidió O'Connell—. Déme la soga.

El teniente Tindemann hizo un gesto de sorpresa. La linterna le daba en los ojos y le impedía ver a su interlocutor.

—No puede colgarme acá —dijo—. Todos los embajadores me vieron en el salón.

Desde afuera llegaron los estampidos de las pistolas.
O'Connell se precipitó a la ventana. Apenas insinuadas
por el resplandor, distinguió dos siluetas de pie bajo las
gradas de la cancha de tenis. En la galería varios sirvientes
negros se servían champagne y vaciaban las botellas de vino en cantimploras. Reían, y un camarero gritó " ¡Mister
Burnett se jodió!" al mismo tiempo que repartía bocaditos en la fuente de plata.

El teniente Tindemann aprovechó el momento de distracción y movió lentamente el paraguas hasta colocar la
punta a un centímetro de la nuca de O'Connell. Cuando
el irlandés se volvió para comentar lo que veía, sintió que
algo filoso como un aguijón se le clavaba en el cuello. Su primer reflejo fue de desconcierto, pero cuando quiso expresarlo advirtió que se había quedado sin
voz. Una súbita pereza le bajó hasta las piernas, mientras
en su mente se agolpaban los mejores momentos de su vida revolucionaria.

—¿Quién cayó? —preguntó Tindemann, y se acercó a la
ventana.

"Se sublevaron los negros", pensó el irlandés y se deslizó al piso. El teniente lo sujetó de un brazo y lo acomodó
contra la caja fuerte. O'Connell vio, como entre sueños,
que el ruso retrocedía y le alumbraba la cara. Entonces lo
ganó un sentimiento de infinito bienestar y pensó en
Quomo y en el levantamiento popular. Sintió que el corazón le latía con fuerza y tuvo ganas de salir al jardín a
unirse a los revolucionarios. Imaginó que pronto comen-
zaría la marcha hacia el palacio imperial y lamentó haberse quedado sin energía y sin voz para aportar su experien-
cia. Los ojos se le llenaron de lágrimas, pero no supo si
era de impotencia o de alegría. A su lado todo se hacía di-
fuso. Oyó dos disparos más, casi simultáneos, y apenas
pudo levantar la vista hacia la ventana. Se preguntó si la

presencia allí de un oficial ruso significaba que Moscú apoyaba la revolución y respondió al interrogatorio del teniente Tindemann para hacerse una idea. ¿Reconocía ser el jefe de la misión militar de la OTAN en Bongwutsi? Movió la cabeza hacia los costados y la sintió pesada como una piedra. ¿Sabía dónde se encontraban las copias de los informes cifrados que Mister Burnett enviaba a Londres? Negó otra vez. ¿Conocía el plan de desembarco británico en las Falkland? De nuevo no.

Tindemann empezó a pensar que los búlgaros se habían confundido al entregarle el paraguas: tal vez en lugar del de la droga de la verdad, le habían dado el de la euforia paralizante. Para confirmarlo hizo a O'Connell una pregunta de respuesta obvia: ¿reconocía ser súbdito de la corona británica? O'Connell volvió a negar con un ojo perdido en el techo y el otro apuntando al cesto de los papeles. El soviético maldijo a los servicios de Bulgaria y pensó que debía bajar de inmediato si quería llegar a tiempo para tomar una foto del duelo.

Miró hacia la cancha de tenis donde los embajadores cargaban las armas. Tenía que deshacerse del británico y le pareció que lo más adecuado sería arrojarlo por la ventana. Lo arrastró por la alfombra mientras O'Connell lo miraba, decepcionado, pensando que los soviéticos empezaban con las purgas aun antes de la victoria. El teniente lo enderezó, le pasó las manos por debajo de los brazos y tocó, a través del chaleco, el paquete con las cartas del cónsul Bertoldi. Tuvo un momento de duda y luego una corazonada. ¿Se había topado, acaso, con el propio correo del Foreign Office? Dejó caer el cuerpo, prendió la linterna y le miró la cara. Estaba seguro de que alguna vez Moscú les había enviado la foto de ese hombre. Se arrodilló, agitado, y le quitó el paquete; al azar tomó una de las cartas y la leyó con la misma dificultad que siempre había tenido para el inglés. Encontró un verso en el idioma de los cubanos y algunos nombres que seguramente serían seudónimos. Revisó otros manuscritos y vio que todos estaban dirigidos a Daisy, que bien podía ser la clave de Margaret Thatcher. Las diferentes firmas no podían confundirlo: Faustino, Bebé, Gatito Goloso, le revelaban la remanida treta de la carta de amor. Había descifrado decenas de ellas en Birmania, Irak y Angola. Guardó el paquete y revisó los bolsillos de O'Connell. Encontró algunos restos de cables, dos relojes de cuarzo, un plano hecho a lápiz y cincuenta libras que de inmediato reconoció falsas.

Se guardó todo, recogió el revólver, y apagó la linterna con la convicción de que había encontrado algo que interesaría a la KGB. Enderezó otra vez el cuerpo desbaratado del irlandés, lamentó sacrificar semejante fuente de información, y lo empujó por el hueco de la ventana.

Mientras caía, O'Connell pensó que de todos modos el cónsul no tendría nada que temer. A esa altura Mister Burnett ya debía estar camino al pelotón de fusilamiento.

40

Entre tantas valijas amontonadas en el depósito, el cónsul temió no encontrar la suya. Dedujo que el botones era miope porque se tropezaba con bolsos y trofeos de caza mientras apartaba todas las maletas oscuras y se agachaba a mirarles de cerca el número de consigna. Bertoldi recorrió la pila con ojos ansiosos hasta que descubrió un bulto azul con el cerrojo saltado. El corazón le dio un vuelco y mientras levantaba un dedo tembloroso para señalar el lugar, sintió un súbito dolor en las muelas. El empleado se acercó, comparó el número del ticket con el de la etiqueta y empezó a tirar de la manija como si quisiera hacer avanzar a un elefante. Bertoldi saltó por encima de la balanza y quiso darle una mano.

— ¡No blanco adentro! —gritó el botones y Bertoldi se mordió los labios pensando que era la segunda vez en la noche que un negro lo echaba de alguna parte. Volvió al otro lado del mostrador y observó los forcejeos del hombre con las manos crispadas. Por fin la maleta zafó, aplastada y deforme, y el negro la echó sobre el mostrador. Bertoldi vio, con alivio, que la otra cerradura seguía en su lugar y fue hasta el ascensor cargando las dos valijas.

El gerente le dio otra vez la bienvenida, como si fuera un viejo cliente y le ofreció una habitación con vista al lago. El cónsul pidió que le reservaran un lugar en el ómnibus para Tanzania y dejó que le subieran el equipaje mientras terminaba de llenar la ficha.

Una vez en la habitación puso la ropa a secar, abrió la valija y se sentó a mirar los billetes. Estuvo inmóvil un cuarto de hora y luego cambió de posición para contemplarlos desde otro ángulo. Las muelas habían dejado de molestarlo y se sentía protegido y sereno. Encendió un cigarrillo y abrió la maleta que había traído del consulado. Puso el retrato de Estela sobre la mesa de luz y le prometió que regresaría a buscarla antes de que echaran sus restos a la fosa común. Sintió que su voz sonaba poco convincente, y se enmarañó en explicaciones hasta que sonó el teléfono y el conserje le avisó que su pasaje a Dar-es-Salaam estaba confirmado. Colgó y se quedó en silencio, con los ojos cerrados. Imaginó la bronca de Mister Burnett, de plantón frente al consulado, esperándolo en vano para exigirle la capitulación, y se puso a tararear *Chau, otario*. Se vistió y guardó un fajo de billetes en un bolsillo. Luego puso un poco de ropa junto a la plata y cerró la valija azul con cuidado. Pensó que era hora de probar el pulpo y la langosta con una botella de blanco del Rhin, y bajó al comedor.

El salón lo desilusionó un poco: había demasiada iluminación y la música estaba muy fuerte. En el centro, una fuente despedía luces de colores que teñían las caras y las ropas de los comensales. El maître lo acompañó a la barra y el cónsul eligió un gimlet porque le sonaba de alguna parte. La mitad de las mesas estaban vacías, pero varias tenían puesto el cartel de reservadas. Al otro lado de la barra, bajo un cuadro con una escena de caza, estaba la adolescente casi desnuda que había visto las otras veces en el hall. Tenía el pelo abandonado y rubio como el de una muñeca y por los labios entreabiertos asomaban dos dientes como pastillas de menta. Los pechos cabrían en las manos de un chico y en las piernas bronceadas chispeaba una pelusa dorada y suave. Una gota de agua o de sudor le brillaba entre las cejas. Estaba sola con su refresco, mordiéndose las uñas, y el cónsul tuvo la impresión de que lo miraba con ojos de ballena encallada.

Pidió otro gimlet y se preguntó si la muchacha tenía edad para andar sola por el mundo. Recorrió el salón con la vista para estar seguro de no tropezar con algún diplomático y la miró con una sonrisa que quería ser sugestiva. Se sorprendió al ver que ella le devolvía el gesto, escondida detrás del vaso de Pepsi y no supo qué hacer. Su respiración se aceleró y miró en el espejo el traje ordinario y arrugado. Se deslizó del taburete y rozó el piso con la punta de los zapatos mojados, como si temiera que se escucharan sus pisadas. La adolescente mordió el vaso y estiró el cuerpo para mostrar las puntas de los pechos. Bertoldi presumió que sólo estaba jugando, pero ya caminaba hacia ella con el gimlet en la mano y cinco mil dólares en el bolsillo. Cuando se sentó a su lado, la muchacha volvió a sonreír y lo miró de arriba abajo.

—¿Puedo invitarla con algo más estimulante? —dijo el cónsul y señaló con una mueca la botella de Pepsi. La adolescente lo miró, divertida, y respondió con un susurro:

—Champagne, si le parece.

El cónsul lo pidió con un gesto aparatoso a un hombre de chaqueta negra sin advertir que no era el barman, sino el cajero. Luego señaló otra mesa, más íntima, y la adolescente se levantó apartándose el pelo de la cara. Las pulseras eran lo más abrigado que llevaba y se movía como si el mundo tuviera que detenerse a verla pasar. El cónsul la dejó avanzar, le miró las caderas redondas, y se puso a buscar un tema de charla que no sonara a desilusión.

La muchacha eligió un lugar junto a la fuente y dijo un nombre sueco o danés casi sin mover los labios. El cónsul estuvo a punto de tenderle la mano, pero se contuvo y se presentó con un nombre cualquiera. Estuvieron un rato en silencio, sonriendo, hasta que el camarero dejó el balde y las copas sobre la mesa. Bertoldi lo despidió con un gesto y tomó la botella con una servilleta. Había empezado a aflojar el corcho cuando tuvo la sensación de que desde las otras mesas se volvían para mirarlo. Quizá eran las ropas ordinarias o sus gestos torpes los que llamaban la atención, pero ya no recordaba con qué movimientos se abría el champagne. Forcejeó un momento, tratando de mantener la conversación y una sonrisa, hasta que el corcho saltó con un ruido que quedó flotando en el salón y los comensales volvieron a sus platos y a sus murmullos monótonos. El cónsul llenó las copas hasta la mitad, como supuso que debía hacerse. Un delgado hilo de agua corrió sobre la etiqueta del Cordon Rouge y fue a caer sobre el pantalón, mientras la muchacha miraba al cónsul como quien hace un hallazgo curioso.

—¿Hace mucho que está en este basural? —preguntó y encendió un cigarrillo largo y muy fino.

—Lo suficiente para arruinar a un hombre —respondió Bertoldi y levantó su copa—. Permítame brindar por este encuentro.

Chocaron las copas y bebieron sin apuro. También ella daba la impresión de escapar de algo.

—¿Trabaja de guía? —preguntó la adolescente por decir algo.

—No, si yo me pierdo hasta en el jardín.

—Déjeme adivinar entonces. . . ¿Negocios? No, no tiene cara. . . ¿Se puede saber de dónde sacó ese traje?

— ¡Ah! —el cónsul se miró el saco de botones descosidos—: Es que no me gusta presumir. . .

—¿El que tiene plata hace lo que quiere?

—Algo así.

—No le creo. Parece que viniera de la guerra.

El cónsul se rió y miró a los costados.

—Soy argentino —dijo orgulloso, pero la adolescente no parecía enterada—. Y usted, ¿qué hace aquí?

—No creo que le interese.

—Me interesa.

—Bueno. . . Suponga que llegué a Bongwutsi con un conjunto de rock a buscar sonidos nuevos y que los negros se comieron a los otros. . .

—Está bien. ¿Por qué no?

—Suponga, si no, que tuvimos una discusión por celos, y esas cosas, y que a la baterista se le fue la mano con el whisky y con el porro. Cuando se despertó los otros habían tomado el avión sin ella.

—De acuerdo, siempre hay un avión que se va sin nosotros.

—¿Me cree?

—Claro que le creo. ¿Qué le parece si cenamos y me cuenta toda la historia? Hace tiempo que quiero probar la langosta.

—Usted parece Donald Sutherland después de un terremoto. ¿Lo ofendo?

—Para nada. ¿Quiere ver el menú?

—Arriba hay un comedor más privado. ¿Nos alcanza la plata?

—Nos sobra. Podemos tirar manteca al techo, si quiere.

—Yo canto contra la gente rica. ¿No le molesta?

—¿Por qué? Me gustaría escucharla.

—En una de esas. . . Cuando tomo mucho hago tonterías y después no recuerdo nada. Sobre todo si necesito
un billete de avión.

Sentada parecía toda desnuda. El cónsul se levantó
sonriendo y fue a guiar el movimiento de la otra silla. Un
olor fresco le llegó desde el cabello de la muchacha y le
produjo un mareo agradable y fugaz. Caminaron juntos,
casi tocándose las manos. Al pasar frente a la barra, Bertoldi tiró unos cuantos billetes sin contarlos y siguió, airoso, el camino hacia los ascensores.

Cuando llegaron al último piso ella se había dejado ro-
zar las yemas de los dedos y conservaba la sonrisa con na-
turalidad. Se detuvo un instante a mirar el aguacero que
golpeaba los cristales de la terraza y el cónsul aprovechó
la llegada del maître para tomarla de un brazo. Tuvo la
sensación de estar tan lejos de O'Connell y de Bongwutsi
como si ya hubiera atravesado el océano. Señaló una mesa que parecía suspendida entre las luces de las colinas y
se dijo que desde esa noche su vida sería siempre así.
Acomodó la silla de la adolescente y en voz muy baja,
con un billete de cien dólares en la mano pidió un bou-
quet de rosas de Holanda. La muchacha sacó un cigarrillo
y Bertoldi le dio fuego mientras acostumbraba la vista a la
oscuridad y el oído al ruido de la lluvia. Entonces, disi-
mulado en un rincón, detrás de la mesa de los postres,
distinguió el brillo de los cromos de un sillón de ruedas.
El corazón le dio un vuelco y movió la cabeza hacia el
perchero donde colgaba, robusto e inconfundible, un solitario sombrero tejano.

La adolescente advirtió que Bertoldi se había quedado
petrificado y buscó entre la gente alguna cara de mujer
alterada por los celos. Todas parecían indiferentes, salvo
una rubia que mascaba chicle y abría las rodillas para que
el paralítico arrugado como un chimpancé le metiera la
mano en la entrepierna. La rubia dijo "oia", sacudió el

brazo del hombre arrugado y señaló la mesa donde el camarero entregaba un ramo de rosas rojas a la adolescente casi desnuda. Los tres cow-boys que acompañaban al paralítico dejaron los tenedores. El cónsul se cubrió la cara con una mano, pero era consciente de la inutilidad de su gesto. El tejano divisó un momento entre la semioscuridad, sacó unos anteojos del bolsillo de la camisa y se los puso sin mover la otra mano de las piernas de la rubia. Bertoldi sacó unos cuantos billetes y los dejó bajo una copa.

—Lo lamento —dijo—, acabo de acordarme que tengo algo muy urgente que hacer. Ojalá nos hubiéramos conocido en otra circunstancia.

—¿De qué huye?

—Ya le dije: es largo de contar. Brinde por mí y vuelva a la civilización.

La muchacha miró el dinero y calculó que había de sobra para un billete a Copenhague.

—Usted es un espía o algo así, ¿no es cierto?

El cónsul ya estaba de pie y se acercó a besarla en una mejilla.

—A su lado me estaba sintiendo James Bond.

Le temblaban los labios mientras iba hacia la escalera de servicio. Cuando pasó junto a la rubia, el paralítico estiró un brazo e intentó agarrarlo del saco mientras gritaba:

— ¡Ahí está! ¡Policía! ¡Ese es el falsificador de Moscú!

41

Después de cargar la pistola por sexta vez, Mister Burnett estuvo a punto de dejar de lado las formas y pedir los anteojos. La lluvia le impedía ver al italiano, diluido al otro lado de la red, y temió que el azar viniera a jugar en

contra de su honor. Uno de los pistoletazos del commendatore Tacchi había destrozado una pata de la mesa de ar-
bitraje y Monsieur Daladieu tuvo que parapetarse detrás
de una palmera. Después de cada disparo, el francés salía
de su escondite, comprobaba que los adversarios no se
hubieran producido heridas y preguntaba al inglés si su
honor estaba satisfecho. Mister Burnett decía que no,
pero no se animaba a pedir los anteojos. Siempre los usaba en su despacho, o para salir de caza, pero esa noche,
indignado y dolido, había olvidado mandarlos a buscar.

En la otra línea de la cancha, el commendatore Tacchi,
que usaba lentes sin montura, se preguntó si el inglés no
estaría tomándose las cosas demasiado en serio. Sentía
que el agua le calaba hasta los huesos y apenas podía levantar la pistola y apretar el gatillo. Estaba parado de
costado, como había visto hacer en las películas, de manera de escamotear el cuerpo a los disparos de su rival.
Cada vez que recargaba el arma tenía que secar los anteojos y volver a colocárselos con la cabeza gacha para impedir que se mojaran de nuevo antes de apuntar. El cuerpo
de Mister Burnett era considerable, pero el commendatore Tacchi no le hubiera acertado a un elefante. Odiaba las
armas y tenía un sentimiento romántico de la vida que
lo hubiera llevado, en caso de ser el ofendido, a dar por
terminado el duelo al primer cambio de disparos.

Durante la media hora inicial, el coronel Yustinov siguió el lance con asombro, mientras vaciaba una botella
de Cabernet, pero luego empezó a impacientarse como el
resto de los invitados que habían tomado ubicación en la
tribuna. Cuando vio llegar al teniente Tindemann, se dijo
que al menos podría enviar a Moscú un informe apoyado
con documentos gráficos. El teniente plegó el paraguas,
besó la mano de Madame Daladieu que estaba en el primer peldaño y subió entre la gente mientras los adversarios levantaban sus armas y disparaban al mismo tiempo.
Los espectadores movieron las cabezas hacia los lados,

comprobaron que Mister Burnett y el commendatore
Tacchi seguían en pie, y se pusieron a charlar y reír entre
ellos. Sin el repertorio italiano, la orquesta empezó a re-
petirse. El teniente Tindemann se sentó al lado de su superior.

—El oso tiene su comida —dijo en voz baja.

El coronel sintió que su corazón se aceleraba. Sonrió
para los demás y deslizó una pregunta casi inaudible.

—¿Suficiente para volver a su guarida?

—Afirmativo —respondió el teniente y levantó la voz
para comentar que las armas le parecían poco precisas.
Un camarero pasó por las gradas sirviendo vino y champagne.

—Vaya y revele —dijo el coronel.

Tindemann bajó de la tribuna, se acercó a Monsieur
Daladieu para avisarle que iba a cruzar el campo del honor, y antes de irse fotografió a Burnett y a Tacchi recargando las armas. El capitán Standford, del servicio de inteligencia británico, había notado la ausencia del oficial
soviético. Mientras lo miraba alejarse por el sendero de
lajas desplegando un paraguas impresentable en una fiesta de gala, llamó al teniente Wilson.

—¿Usted no nota algo extraño? —preguntó.

—Iba a decírselo, señor. A mi juicio las miras están tor-
cidas.

—Me refiero al ruso.

—Va mucho al baño.

—Está bien. Hágase cargo hasta que yo vuelva.

42

El cuerpo de O'Connell aplastó una docena de cajas de
champagne que el personal había apartado para vender en
el mercado negro. Dos ayudantes de cocina que iban

arrastrando al destartalado guardián del museo lo vieron caer y se preguntaron por qué esa noche a la gente se le ocurría arrojarse por las ventanas.

Cuando el irlandés pudo moverse, sintió un dolor punzante en las costillas y tuvo la sensación de que todo ocurría a su alrededor en una superposición de imágenes, como si lo viera en un televisor mal ajustado. Los de la cocina dejaron al guardián en la galería y volvieron a la vereda para mirar los destrozos causados por el blanco.

La lluvia barría rápidamente la espuma del champagne y los vidrios estaban esparcidos sobre los mosaicos. Uno de los empleados apartó las piernas de O'Connell y se fijó si había quedado alguna botella sana. Hablaban en su idioma y el irlandés pensó que si no conseguía explicarse a tiempo también él sería pasado por las armas. Quería advertirles sobre la traición de los soviéticos, pero no alcanzaba a articular una palabra. Los negros lo tomaron de los brazos y las piernas y lo llevaron hasta el salón donde estaba también el agente de seguridad inglés que O'Connell había capturado en la oscuridad del museo. Tenía un parche sobre la cabeza, el pantalón abierto hasta la rodilla y la mirada perdida. El irlandés pensó que se trataba de un herido en combate al que estaban curando para conducirlo ante los tribunales populares. Los ayudantes de cocina lo dejaron en otro sillón y uno de ellos le preguntó si se sentía bien. O'Connell asintió y se dijo, al verlos vestidos de un blanco impecable, que los revolucionarios habían organizado un perfecto servicio de enfermería. El salón principal estaba desierto y le pareció evidente que los blancos habían sido sorprendidos en medio del banquete. Oyó otros dos balazos y comprendió que los juicios eran sumarísimos y expeditivos. Movió las mandíbulas y trató de decir algo. Lentamente estaba recuperando los reflejos. Uno de los negros fue hasta una mesa, tomó un balde de hielo y una servilleta y preparó un envoltorio que le puso sobre la cabeza. En el otro sillón, el inglés quiso ponerse de pie, pero sólo consiguió que se le cayera la venda que tenía sobre la frente. El ayudante de cocina se la colocó otra vez, fastidiado, y volvió a donde estaba O'Connell.

—¿Inglés? —preguntó.

El irlandés negó enfáticamente con la cabeza y se llevó una mano a la solapa del smoking donde tenía prendido el escudo de Boca Juniors. El negro se inclinó a mirarlo y llegó a la conclusión de que se trataba de uno de los embajadores invitados.

—Es a pistola —dijo, y señaló hacia el jardín—. Mala puntería.

O'Connell bajó la cabeza, abatido. Pensó que tenía que escapar de allí para buscar el cuartel general de los sublevados y aclarar su situación. Estiró las piernas y sintió que le volvían las fuerzas. Los negros conversaron un momento entre ellos y salieron por la puerta principal. El irlandés intuyó que había llegado el momento y se paró. Todavía estaba atontado, pero podía caminar. Al pasar junto a las mesas tomó una botella por el cuello y contempló la ventana abierta. En el momento que acercaba una silla para saltar, oyó a uno de los negros que llegaba a la carrera.

— ¡No caminar! ¡Esperar doctor! —gritaba, y alcanzó a tomarlo de un brazo. De pie sobre la silla, O'Connell levantó la botella y la destrozó sobre la cabeza del ayudante de cocina. Al ver al negro sentado, sangrando por la nariz, el irlandés pensó que tendría que justificar ante Quomo su conducta de esa noche. Ganó la calle por la puerta trasera y vio las limusinas de los embajadores estacionadas a lo largo del bulevar. Pensó que lo primero que tenía que hacer era ir a buscar sus armas al consulado y avisar a Bertoldi que había llegado el momento de atacar la zona de exclusión antiargentina. Imaginó al cónsul tomando posesión de la embajada británica y se dijo que también ese hombre humillado por el imperialismo y dejado de la mano de Dios tenía derecho a compartir los

primeros pasos que daba el hombre nuevo en ese olvidado
lugar de la tierra.

43

El sultán y Lauri entraron en la cabina de mando donde Quomo estaba recostado leyendo *Le Monde*. El Katar
controló el piloto automático, leyó los instrumentos y se
instaló en el asiento del comandante. Se hacía de noche y
el desierto tomaba un color gris profundo.

—¿A qué aeropuerto vamos? —preguntó.

—Ningún aeropuerto —dijo Quomo y sacó los pies de
encima del tablero—. Vamos a bajar en el lago.

—A tanto no me puedo comprometer. No tengo expe-
riencia en amerizaje.

—Déjeme a mí. ¿Cuándo empezamos a ver selva?

—Para eso hay que decirle a la computadora que cam-
bie el rumbo, porque en esta dirección vamos a Arabia
Saudita. ¿Cuál es la coordenada de Bongwutsi?

—Pruebe doce grados siete minutos sur, a ver si encontramos la cuenca del Nilo, después yo me oriento solo.

El Katar se colocó los auriculares y apretó unos botones en la computadora. Una larga lista de aeropuertos
apareció en la pantalla.

—Lusaka, mil ochocientos kilómetros. ¿Le sirve el
dato?

—No, pero corrija dos grados al este a ver qué pasa.
Usted, Lauri, apague ese cigarrillo y vaya con Chemir a
preparar las armas. Hay que llegar haciendo ruido.

Lauri aplastó la colilla en el cenicero.

—¿Cómo hace para adivinar los números de la ruleta? —preguntó.

Quomo se volvió y lo miró a los ojos.

—¿Qué le pasa? ¿No está de acuerdo con el plan?

—Me pone nervioso que acierte siempre. Podríamos estar limpiando algún casino en lugar de ir a hacernos matar en la selva.

—Disculpe —interrumpió el sultán—, pero no me autorizan a entrar en el espacio aéreo de Bongwutsi. Pusieron bombas en la pista y el aeropuerto está cerrado.

—¿Está seguro? —Quomo manoteó los auriculares y pidió a la torre que repitiera el mensaje. Estuvo un minuto escuchando con la boca abierta.

—¡Carajo con el irlandés! —gritó al fin. Su cara había rejuvenecido diez años.

—Bombas —repitió el sultán, absorto.

—¿Cómo sabe que fue O'Connell? —preguntó Lauri.

—¿Quién va a ser si no? Tenemos que llegar antes de que los ingleses manden los paracaidistas: si conseguimos eludir los radares, en un par de horas estamos allá.

—Ese debe ser el Nilo —dijo el sultán señalando el otro lado del visor—. ¿Lo seguimos?

Quomo miró el altímetro y se ató el cinturón de seguridad.

—Baje todo lo que pueda y déjeme el mando. Si tiene algún mensaje para su novia transmítalo ahora, porque vamos a interrumpir el contacto con la torre.

—¿No hay una ruta o algún descampado para aterrizar? —preguntó el sultán—. No me gusta la idea de perder el Rolls.

—No lo va a perder. El capitalismo creó el Rolls para justificarse ante la historia y nosotros le vamos a hacer un lugar especial en el museo de los buenos recuerdos.

44

El agua bajaba por las callejuelas sinuosas y se deslizaba hasta el lago arrastrando a su paso la basura y la mu-
gre acumuladas durante la estación seca. Mientras se alejaba del Sheraton con la valija a cuestas, en los oídos del
cónsul resonaba la voz del paralítico que lo trataba de
bolchevique y falsificador.

Por un rato creyó que pasaría sus últimas horas en
Bogwutsi haciendo el amor con la adolescente casi desnuda. Pero el tejano lo había arruinado todo y ahora tenía que buscar un refugio hasta la hora del ómnibus. Pensó en ir a un hotel más barato, pero dedujo que la policía,
alertada por el paralítico, no tardaría en ubicar su paradero. Llegó a la plaza del mercado y dio un rodeo para evitar la' marea que salía de las letrinas desbordadas. Los
mendigos dormían amontonados en la recova y tuvo que
pasar entre ellos antes de volver a la vereda. Se detuvo bajo el toldo que cubría la estatua del Emperador y abrió la
valija para sacar la botella. Pensó que, por precaución, le
convenía abordar el ómnibus lejos del centro. Tomó otro
trago y prendió el encendedor para mirar la hora antes de
alejarse del monumento. Hasta los blancos tenían prohibido detenerse frente a la estatua. En tiempo de sol la
guardia la cubría con una sombrilla de seda, y en la estación de las lluvias con un toldo de nailon. Mientras se
alejaba, el cónsul recordó lo que Mister Burnett le había
contado poco después de su llegada al país. Cuando los
comunistas tomaron el poder, el dictador Quomo hizo la
promesa de inaugurar las obras de desagüe arrojando a las
cloacas a los embajadores de Estados Unidos, Gran Bretaña y Francia. Pero sólo alcanzó a abrir la primera zanja,

junto al puerto, y a su caída el Emperador la hizo cubrir con los cadáveres de los guerrilleros. Los británicos enviaron la maquinaria para rehacer el pavimento y, en la estación de las lluvias, el agua siguió abriendo grietas y arrastrando ratas y perros muertos hacia las playas y los muelles.

Bertoldi se acercó a la rotonda del bulevar de las embajadas y oyó, a lo .lejos, un aire de vals y dos detonaciones. Se ocultó detrás de un Cadillac negro que tenía una bandera norteamericana y vio que los guardias ingleses, cubiertos con largos capotes grises, habían dejado sus puestos para asomarse por encima de la cerca que cerraba el jardín. Bertoldi bebió otra vez y apoyó la valija sobre el paragolpes del coche. Cuando terminó Strauss, la orquesta siguió con Suppé, por lo que el cónsul creyó que los invitados estarían bailando en las galerías. Hubo otros dos estampidos, pero la música continuó. Los soldados conversaban entre ellos y de vez en cuando alguno iba a fumar un cigarrillo con los que estaban dentro de la nueva garita. El cónsul temía que lo sorprendieran merodèando por allí y fue hacia la diagonal que conducía al centro. Tenía que hacer tiempo hasta la hora del ómnibus y se dijo que lo mejor sería entrar al cine. La función ya había comenzado y daban dos películas norteamericanas con actores negros que no conocía. Sacó la entrada con un billete falso y con el vuelto compró un paquete de maní tostado. El que cortaba las entradas le dijo que estaba prohibido pasar con paquetes y valijas a causa de los atentados, pero cambió de idea cuando Bertoldi le dio unas monedas.

Se sentó en la última fila, siguió un rato la película ya comenzada y, como no pudo encontrar el hilo del argumento, se quedó dormido con la maleta entre las piernas. Se despertó cuando los hombres salían para el intervalo. Era el único blanco en la sala y tuvo, por un instante, la

misma sensación que cuando subió al ómnibus y le robaron la billetera. Varios chicos lo observaban, extrañados,
desde las butacas vecinas y los que iban al hall se daban
vuelta para mirarlo. El cónsul abrió el paquete de celofán
y masticó lentamente los maníes con la convicción de que
ese gesto lo acercaba a los demás. Luego advirtió que había olvidado sacarse el impermeable y que el ruido del
náilon podía incomodar a otros espectadores. Se lo quitó
con cautela, lo acomodó en la butaca de al lado y siguió
con los maníes hasta que las luces se apagaron y empezó
la publicidad de Cinzano. Todos los protagonistas eran
blancos y al verlos tan alegres y despreocupados junto a
una piscina, el cónsul se tranquilizó un poco.

En cambio, los héroes de la segunda película eran negros y la acción se situaba en la selva de Vietnam. Los comunistas torturaban horriblemente a los soldados nortea-
mericanos y el único protagonista blanco ideaba el plan
para huir del campo de prisioneros. Bertoldi tomó un trago de whisky y volvió a dormirse. Abrió los ojos cuando
una música estridente acompañaba la fuga de los soldados
que habían recuperado la bandera de las barras y las estrellas y uno de los negros moría abrazado a ella.

Poco antes de que se prendieran las luces guardó la botella, se puso el impermeable y el sombrero, y se apuró
para no mezclarse con la multitud. Cuando quiso levantar
la maleta, sintió que la manija se le escapaba de entre los
dedos. Las manos vacías empezaron a temblarle y se agachó entre las butacas alumbrándose con la llama del encendedor. La música siguió, épica, mientras desfilaba el
reparto de actores secundarios y la gente recogía los pilotos. Entonces Bertoldi vio que el cerrojo de la valija había
cedido. El tubo de dentífrico rodaba por la pendiente del
pasillo y la ajada foto de Carlos Gardel desaparecía bajo
un manto de billetes flamantes, desparramados a los pies
del público.

45

El teniente Tindemann no estaba dispuesto a compartir con el coronel Yustinov el mérito de haber descubierto al correo del Foreign Office. Al salir de la embajada británica se dijo que tenía que comunicar la novedad a Moscú antes de que regresara su superior y luego pasaría la noche en vela para descifrar las cartas.

Cuando llegó a la zona antiargentina, los guardias ingleses le dieron la voz de alto y uno de ellos le enfocó la cara con una linterna. El teniente saludó con una mirada helada y un cabo le hizo la venia antes de preguntarle, con la voz respetuosa de un subordinado, si tenía novedades del duelo. En un trabajoso inglés Tindemann les contó que aún no había heridos, y los guardias volvieron a la garita. El teniente cruzó la calle con el paraguas abierto y cuando se dirigía a la residencia soviética vio que el capitán William Standford estaba parado frente a la puerta.

Contrariado, Tindemann confirmó la excelente opinión que tenía de los servicios británicos y pasó de largo tratando de disimularse en la oscuridad. En la primera esquina se detuvo a encender un cigarrillo y comprendió que Standford empezaba a seguirlo. Cerró el paraguas y corrió por una calle solitaria y resbaladiza. Con la mano libre protegía el paquete de cartas que llevaba bajo la chaqueta y con la otra apuntaba el paraguas hacia adelante por si encontraba algún obstáculo en la oscuridad. Era la primera vez que salía solo a esa hora y temió que alguien lo atacara para robarle. Cuando vio las luces del Sheraton, al fondo de la calle, se tranquilizó y avanzó a paso normal por el asfalto lleno de pozos y lagunas. Al llegar a la calle

comercial se volvió y supuso que Standford ya no iba detrás de él. Era seguro que a esa altura el británico ya habría dado la alarma y pensó que lo más razonable sería
buscar un escondite donde el coronel Yustinov pudiera
hacerle llegar sus instrucciones. El plan de avisar inmediatamente a Moscú había fracasado y lo importante, ahora,
era poner a salvo los documentos. Sabía que el uniforme
del Ejército Rojo lo exponía a las miradas indiscretas y le
pareció que lo más acertado sería tomar una habitación
en el Sheraton y, desde allí, comunicarse por teléfono
con el coronel.

En ese momento, el cine que estaba al otro lado de la
calle abrió sus puertas y la gente empezó a salir abriendo
los paraguas. De pronto hubo un revuelo y todos regresaron corriendo a la sala. El teniente pensó que tal vez se le
presentaba una buena oportunidad para conseguir un
abrigo que le cubriera el uniforme, de modo que cruzó la
calle y se mezcló con la gente. A medida que advertían la
presencia de un militar blanco, los nativos se apartaban
para dejarlo pasar. Tindemann corrió la cortina y se encontró con la gente parada sobre las butacas. Los negros
habían dejado libre el pasillo donde Bertoldi estaba de
rodillas y hablaba solo. Con una mano tiraba de la valija
desvencijada y con la otra recogía los billetes como si jun-
tara hongos. A veces se metía bajo una butaca y volvía
con un puñado de dólares flamantes que depositaba sobre
una bandera celeste y blanca.

Los nativos seguían sus movimientos con un respetuoso
asombro. De vez en cuando un chico se agachaba, tomaba
uno de los billetes y se lo alcanzaba, como quien rinde su
primer examen de cortesía en público.

El teniente Tindemann nunca había visto semejante
cantidad de dinero y de inmediato sospechó que las cartas
del Foreign Office y los dólares desparramados en el piso
del cine, estaban estrechamente relacionados. Retrocedió

para que Bertoldi no lo viera, recogió un piloto azul olvidado en una butaca y se abrió paso entre la gente que se amontonaba en las puertas.

El impermeable le iba un poco chico, pero servía para taparle el uniforme. Se quitó la gorra, cruzó la calle y fue a refugiarse bajo la marquesina de una farmacia. Desde allí vio pasar un Austin de la embajada británica, conducido por el capitán Standford que miraba hacia uno y otro lado por las ventanillas abiertas. Tindemann concluyó que a esa altura todas las embajadas del Pacto de Varsovia estarían vigiladas y que lo mejor que podía hacer era entrar al hotel. Pero antes quería saber a dónde se dirigía el argentino con el dinero.

Encendió un cigarrillo y esperó recostado en la pared. Al rato vio salir al cónsul, seguido por una multitud, como si encabezara una procesión. Caminaba doblado, con la valija apretada contra el pecho y a ratos se daba vuelta y hacía gestos para alejar a los curiosos. El teniente esperó a que pasaran a su lado, desplegó el paraguas y se unió a la caravana que dobló la esquina en silencio, como hipnotizada.

46

Apoyándose en las paredes, O'Connell se alejó del bulevar para no encontrarse con las patrullas de los sublevados. Se reprochaba el individualismo, la ceguera y la incredulidad que le habían impedido advertir la maduración ideológica de las masas explotadas de Bongwutsi. Había estado a punto de pagar el error con su vida y hasta que no aclarara su situación sería considerado un blanco más, un enemigo del pueblo.

La lluvia empezaba a despabilarlo, pero todavía no podía pronunciar una palabra. Tenía la lengua insensible y se dijo que debería explicarse por escrito ante el comandante. Buscó en el bolsillo interior del smoking y encontró la lapicera con que Bertoldi había dibujado el plano de la embajada. Si Quomo había establecido su cuartel de operaciones en el consulado argentino, lo más prudente sería presentarse ante él con un parte de lo sucedido para evitar cualquier confusión.

Llegó a la plaza del mercado, cubierta por una laguna pestilente, y vio que la estatua del Emperador seguía en su lugar, por lo que dedujo que los rebeldes no tenían aún el control de la ciudad.

Cruzó a la recova y entrevió, en la penumbra, a los mendigos que dormían como si no pasara nada. Tomó por una calle lateral y caminó con el agua a los tobillos. Buscaba un bar para sentarse a escribir su informe. Desde la esquina divisó la luz roja de un farol a kerosene y supuso que se trataba de una boîte o un club nocturno. Se acercó por la vereda, chorreando agua por las botamangas y cuando iba a saltar sobre una alcantarilla vio aparecer, al fondo de la calle, una columna que marchaba detrás de un hombre que parecía conducirla a los gritos.

O'Connell se agachó y fue a ocultarse en un corredor. Desde allí podía verlos avanzar en la oscuridad: el que los mandaba tenía una valija y hablaba un idioma que el irlandés no podía comprender. Parecía enojado y a cada rato se detenía para arengar a sus seguidores. O'Connell se dijo que la voz le resultaba conocida y esperó a que el hombre pasara bajo una luz para estar seguro de que se trataba del cónsul Bertoldi.

La fila que lo seguía era larga y ordenada y los negros parecían dispuestos a acompañarlo hasta el propio infierno. Pero lo que más sorprendió al irlandés fue que con ellos desfilaba también el militar soviético que un rato antes lo había arrojado por la ventana. Por un momento estuvo tentado de darse a conocer, pero lo detuvo la certeza

de que si el ruso estaba allí, el cónsul había caído en una
trampa.

Los vio descender hacia el puerto y conjeturó que Bertoldi se disponía a atacar el arsenal de la marina. Notó,
con cierto orgullo, que el argentino se había puesto su
sombrero, y pensó que en la valija llevaría las armas y los
explosivos con los que él había hecho las campañas de
diecisiete sublevaciones.

Ahora le aparecía con toda claridad que los soviéticos
se disponían, como siempre, a copar la insurrección. ¿Había aceptado Quomo una alianza táctica o se trataba de
una decisión del propio Bertoldi al calor de la lucha? De
cualquier manera, O'Connell reconoció que el cónsul había ocultado muy bien sus planes y se sintió el más estúpido de los mortales al comprobar que estaba quedándose
al margen de la revolución.

47

En un primer momento, el cónsul temió que los nativos le arrebataran la plata, pero enseguida comprendió
que estaban tan impresionados que no alcanzaban a distinguir entre la película que acababan de ver y la realidad
que hallaron al encenderse las luces.

Al ver que lo seguían, pensó que iban a conformarse
con acompañarlo por las calles del centro, pero pese a sus
advertencias entraron detrás de él por los pasajes más an-
gostos y oscuros. Sin la manija, la maleta le parecía doble-
mente pesada y difícil de llevar. Tenía que ir a la parada
de ómnibus, pero antes debía sacarse de encima a los negros. Varias veces les preguntó qué demonios querían, y
como no obtuvo respuesta, se conformó con insultarlos
en español hasta que llegaron a la plazoleta del arsenal.

Bertoldi aprovechó la luz para sentarse en un banco, junto al mástil, y arreglar la manija destartalada. Los negros formaron un semicírculo y se quedaron mirándolo, mudos, como si esperaran que les hiciera un discurso. El teniente Tindemann se ocultó detrás de un árbol, a espaldas del cónsul. El argentino se dijo que tenía que alejar a esa multitud antes de que la policía se acercara a curiosear. Entreabrió la valija y tomó al azar algunos billetes de cien. Los miró con pena, les arrancó las fajas selladas por el banco y los lanzó al aire como papel picado. Los nativos saltaron como sacudidos por una corriente eléctrica. Los que lograban atrapar un billete corrían calle arriba perseguidos por los que habían tenido menos suerte. Los demás, enredados en el amontonamiento, se debatían y peleaban, pero cuando el billete se rompía trataban de ponerse de acuerdo para ir a recomponerlo al mismo bar. Los marineros que custodiaban el arsenal oyeron el griterío y se acercaron al lugar dando voces de alerta y preparando las armas.

Dos papeles de cien, que no habían terminado de despegarse, planearon hasta los pies del teniente Tindemann. Los negros que llegaban corriendo tras ellos se frenaron a tiempo para evitar el paraguazo del soviético y se quedaron mirándolo con envidia. Tindemann se agachó, tomó los doscientos dólares y los guardó diciéndose que tal vez serían tan falsos como las libras que le había quitado al correo del Foreign Office.

El cónsul aprovechó la confusión para levantar la valija y deslizarse por la escalerilla de un barco cargado con plantas de tabaco que despedían un olor penetrante y dulzón. Mientras se escondía, escuchó los balazos que los guardias tiraban al aire y recordó, por un instante, su entrada triunfal a la zona de exclusión.

Los nativos se desbandaron y corrieron a refugiarse en la oscuridad. Algunos chicos quedaron en medio de la plazoleta, llorando, y las mujeres volvieron a buscarlos. El teniente Tindemann se arrojó al suelo, reptó por los canteros, entre las flores, y antes de esconderse detrás de la base del mástil recogió otro billete que flotaba sobre un charco. Había perdido la gorra y cuando se apartó el mechón de pelo embarrado que le cubría la frente, se dio cuenta de que era la primera vez que se encontraba bajo fuego.

Los guardias lanzaron otra salva de advertencia y los negros que se habían escondido detrás de los árboles se dispersaron por el puerto. El cónsul, oculto entre las hojas de tabaco, contó el tiempo que faltaba para la salida del ómnibus. Calculó que habría perdido tres o cuatro mil dólares para alejar a los negros, pero lo que más le preocupaba era la posibilidad de que se corriera la voz y salieran a buscarlo por toda la ciudad.

Al ver que los guardias de marina volvían a sus puestos, el teniente Tindemann fue a recoger la gorra y el paraguas y se fijó si el cónsul seguía por allí. Sabía que con la valija a cuestas no podía llegar demasiado lejos. Se acercó al farol y sacó del bolsillo todos los billetes que había juntado esa noche. Tanto las libras como los dólares le parecieron falsos, pero bien fabricados, y pensó que quizás no hiciera falta agregarlos a su informe.

Por la ruta de la costa apareció el Austin de Standford y por la avenida un coche de la policía. Ambos se cruzaron en la plaza y el patrullero fue a detenerse frente a la guardia del arsenal. El teniente se aplastó contra el césped y vio a dos negros de uniforme que bajaban del auto con grandes linternas. Pensó que sería embarazoso para un oficial del Ejército Rojo tener que explicar por qué estaba chapuceando en el barro a esa hora de la noche. Buscó una vía de escape y se deslizó hacia el muelle, donde se topó con la escalerilla de un barco del que llegaba un dulce aroma a tabaco fresco.

48

La claridad de la luna recortaba los picos de las montañas e insinuaba los contornos de los bosques. El Boeing volaba a tres mil metros cuando el sultán indicó la proximidad del Kilimanjaro. Quomo lo situó en el radar y giró el timón a la izquierda. Lauri aplastó la cara contra una ventanilla y la cumbre nevada le pareció un gigantesco helado de crema. Un rayo cayó sobre las montañas más bajas. El Katar no se llevaba bien con la computadora, y al caer la noche cerrada habían perdido el curso del Nilo. También él se había quedado absorto con el espectáculo y despertó a Chemir para que no se lo perdiera.

—La otra vez nos estrellamos cerca de ahí —dijo el rengo mientras se despabilaba.

—¿También vinieron en avión? —preguntó Lauri.

—Con un Cessna chico. Había que bajar por todas partes a cargar combustible. Cuando pasábamos por acá se plantó una turbina y caímos sobre un cafetal. Estuvimos tres meses en la selva.

—Dos —dijo Quomo—; hasta que nos encontró un helicóptero cubano.

—A mí se me hizo más largo —dijo Chemir—. Cuando llegamos, los chinos habían copado la revolución.

—¿Cómo remontaron eso? —preguntó El Katar.

—Los cubanos nos dieron una mano con la gente que tenían en Angola —dijo Quomo—. En ese tiempo los yanquis apoyaban a los maoístas que nos querían meter la Revolución Cultural a garrotazos. Les leían el *Libro Rojo* a los campesinos, pero lo que para ellos es una cosa, para nosotros es otra, y había que discutir cada palabra para saber si quería decir lo que parecía que decía. Eso los desa-

creditó mucho y les dimos una paliza inolvidable en el
norte.

—¿Usted estuvo en China? —preguntó Lauri.

—Seis meses —dijo Quomo.

—Yo fui embajador en Pekín —dijo el sultán—. ¿Qué
hacía usted allí?

—Me entrenaba en la Revolución Cultural.

—Acaba de decir que la combatió en Bongwutsi.

—Pero primero aprendí cómo hacerla, en Shangai.

—Usted es desconcertante —dijo el sultán.

—Tal vez. Fíjese si ya retomamos el Nilo.

—No doy pie con bola con la computadora.

—Vea eso usted, Lauri.

El argentino hizo un gesto al sultán para que le hiciera
lugar y se agachó frente a la pantalla.

—Si acabamos de pasar el Kilimanjaro tenemos que estar en Tanzania. ¿Cuál es la posición de Bongwutsi res-
pecto de Dar-es-Salaam?

—Unos dos mil trescientos kilómetros al suroeste.

—Acá está la coordenada. No es tan difícil: agregue tres
grados y seis minutos.

—Si lo hubiéramos tenido a usted la otra vez, el Cessna
no se nos venía abajo, ni los rusos me fusilaban tan fácil-
mente.

—Al fin me reconoce algo. Olvídese del Nilo. En un rato más vamos a estar sobre el lago Tanganica.

—Ahí ya me ubico —dijo Quomo—. Tengan preparados
los morteros y las granadas frente a las puertas de emergencia.

—¿Seguimos bajando? —preguntó El Katar.

—Hasta doscientos metros. Ajústense los cinturones
porque vamos a volar a ras del agua.

49

Pasada la medianoche, cuando todos los invitados estaban borrachos y cundía el desorden, Monsieur Daladieu intentó suspender el lance. Mister Burnett se negó categóricamente y acusó al francés de haberle entregado un arma con el cañón torcido. Los diplomáticos y sus mujeres habían empezado a lanzarse canapés y aceitunas por la cabeza y el embajador de Túnez hizo un escándalo cuando Herr Hoffmann, mientras festejaba una broma, apoyó la mano sobre una pierna de su esposa.

Mister Fitzgerald se empeñaba en destapar todas las botellas de champagne que dejaban los camareros y gozaba apuntando los corchos a la cara de los diplomáticos del Pacto de Varsovia. El coronel Yustinov se apartó cautelosamente del sector más belicoso, pero estaba demasiado borracho para hacer caso a los consejos del agregado cultural de Checoslovaquia y se puso a orinar en una botella vacía, a la vista de todos. El representante de Finlandia lo trató de cosaco grosero, pero las mujeres se desternillaban de risa y la esposa del embajador griego le arrojó un zapato que pasó de largo y fue a caer al jardín.

El teniente Wilson, de la guardia británica, estaba inspeccionando la zona antiargentina cuando el cocinero vino a avisarle que dos blancos y un negro se habían arrojado por una ventana del primer piso. El militar y su adjunto corrieron al salón donde estaban los heridos y comprobaron que faltaba uno de ellos. En su lugar hallaron al ayudante de cocina con la cabeza rota, que apuntaba un dedo hacia la ventana abierta. Quince minutos más tarde, cuando sus hombres terminaron de interrogar a los negros, el teniente se dijo que era hora de informar a Mister Burnett de lo ocurrido.

Mientras cruzaba el jardín rumbo a la cancha de tenis, advirtió que la situación en la tribuna era delicada. A través de los prismáticos pudo ver que el coronel Yustinov se había bajado los pantalones y mostraba las nalgas al resto de los invitados. Los otros embajadores, y con más entusiasmo algunas mujeres, trataban de hacer blanco en el trasero del ruso arrojándole aceitunas, trozos de queso y corchos de botella. Mister Fitzgerald, subido a caballito sobre uno de los camareros, luchaba contra Herr Hoffmann, que montaba al Primer Ministro de Bongwutsi. Al mover los largavistas, el capitán pudo divisar a dos mujeres que se besaban en los labios. Una de ellas había perdido una zapato y tenía la pollera recogida encima de las rodillas. Ajenos a cuanto los rodeaba, Mister Burnett y el commendatore Tacchi seguían disparando y recargando sus pistolas mientras Monsieur Daladieu les hacía señas ampulosas y gritaba en francés.

El capitán ordenó a su adjunto que hiciera comparecer de inmediato a un tirador de elite y fue a buscar ubicación entre los árboles, frente al embajador italiano. Alcanzaba a verlo de costado, pero el smoking lo desdibujaba en la oscuridad. El adjunto llegó con un soldado petiso, pelirrojo, de lentes, que traía un fusil con mira telescópica.

—Déle en la pierna —ordenó el capitán—. Dispare al mismo tiempo que ellos.

El soldado miró por encima de un ligustro y dijo que no garantizaba el blanco perfecto.

Monsieur Daladieu salió de la línea de tiro y los embajadores de Gran Bretaña e Italia levantaron sus pistolas una vez más. El commendatore Tacchi estaba cansado y abría la boca para respirar mejor. Los disparos salieron casi al mismo tiempo, seguidos de un eco metálico, y el italiano sintió un golpe en una pierna que lo lanzó hacia atrás. Trató de hacer pie, pero el terreno estaba demasiado resbaladizo y cayó de espaldas, aferrado a la pistola.

No sentía ningún dolor, pero había perdido los lentes y tuvo que cerrar los párpados para que la lluvia no le golpeara los ojos. Lo que más le molestaba era la risa grosera de Mister Burnett, que saltaba a su lado, salpicándole la cara con el barro de los zapatos. Cuando vio a Monsieur Daladieu inclinado sobre él, comprendió que había recibido un balazo y encomendó su alma al Señor. El francés pedía una ambulancia a los gritos, pero nadie le entendía y el commendatore Tacchi, antes de desmayarse, tuvo que soplarle la palabra en inglés.

50

La calle del consulado estaba silenciosa y vacía. O'Connell advirtió que Bertoldi había retirado la bandera antes de ponerse a la cabeza de las masas de Bongwutsi, y concluyó que su plan era izarla en el mástil de la embajada británica en el momento de la victoria. La casa, a oscuras, parecía abandonada, y era claro que Quomo no se encontraba allí. O'Connell pensó, entonces, que el argentino podría haberle dejado un mensaje, o alguna clave que lo condujera hasta el cuartel general del comandante.

Dio la vuelta por el baldío, entre los charcos, y tropezó con los restos de la radio del cónsul, esparcidos entre el pasto. Forzó la ventana y al entrar al dormitorio aspiró un olor a naftalina que lo hizo arrugar la nariz. Prendió una vela que encontró sobre la mesa de luz y se sentó en la cama a descansar un momento. Se secó la cara con la sábana y trató de articular algún sonido, pero su lengua estaba como anestesiada. Al fin, convencido de que el soviético le había envenenado la sangre, O'Connell fue al despacho dispuesto a escribir su informe de situación.

Se quitó el smoking y los zapatos y se puso la ropa con

la que había llegado a Bongwutsi. Tomó unas hojas de
papel y escribió las primeras líneas con algunos tropiezos
en la ortografía. De pronto notó que en la pared faltaba la foto del hombre de mirada melancólica; también estaba vacío el marco donde había visto la foto de Estela y
el irlandés dedujo que Bertoldi había partido a la guerra
con todos sus parientes a cuestas. Nunca se le hubiera
ocurrido pensar que ese hombre triste, de apariencia ti-
morata, ocultara una firme convicción revolucionaria. Pero desde chico, cuando su madre lo llevaba a las citas y a las
reuniones de comando, O'Connell· estaba acostumbrado a
encontrar los personajes más extraños y contradictorios.
Recordó a algunos pobres de espíritu que luego se convir-
tieron en militantes ejemplares, y supuso que el cónsul,
exasperado por la agresión británica contra sus islas, se
había unido a último momento a las tropas de Quomo.
Buscó en vano un mensaje o la señal de una cita, y cuando oyó gritos en el sótano se dijo que quizá el francés podía darle noticias sobre el paradero de Quomo. Buscó la
linterna en el bolso y abrió la tapa de madera. Desde abajo le llegó un olor a comida rancia y excrementos agusa-
nados.

El agente Jean Bouvard estaba verde como un musgo y
tan flaco que el pantalón se le había caído sobre los zapatos. Tenía los ojos desorbitados y rojos, y repetía un bal-
buceo metálico y deshilvanado. A sus pies había un plato
con una mezcla de porotos y cáscaras de banana, y más
allá la palangana inmunda rodeada de moscas. O'Connell
se indignó al comprobar que Bertoldi no había cumplido
la orden de lavar al prisionero y fue al baño a buscar un
balde y una esponja. En una repisa encontró el jabón en
polvo que usaba Bertoldi y lo mezcló con el agua hasta
que obtuvo una mezcla espumosa y gris.

Cuando se acercó a Bouvard le vio una mirada que podía ser de odio o de resignación. Le volcó la mitad del
balde sobre la cabeza y le tiró la otra mitad contra las

piernas desnudas. El francés lo escupió, y aunque no dio
en el blanco, O'Connell renunció a la idea de pasarle la
esponja. Quiso pedirle disculpas, pero sus labios se movieron en falso, como en las cintas mudas.

—Voy a matarlo —murmuró el francés y de su boca salía un gran globo, como si soplara un chicle—. Le juro que
aunque tenga que seguirlo hasta el fin del mundo voy a
cortarlo en pedazos.

O'Connell se dijo que tenía que hablar con ese hombre de
cualquier modo. Sólo sabía escribir unas pocas palabras en
francés, así que intentó hacerse entender por gestos.

Dejó la linterna sobre un peldaño de la escalera y levantó las manos pidiendo atención. Luego, con la punta de
un dedo se tocó primero el pecho y después los labios, y
retrocedió unos pasos para situarse en el haz de luz. Bouvard seguía insultándolo, pero en su cara empezaba a pin-
tarse la curiosidad. El irlandés hizo el ademán de sostener
un paraguas, se señaló el cuello e imitó el movimiento de
una jeringa. Luego dibujó una ventana en el aire y juntó
los dedos para describir un semicírculo que la atravesara
hacia abajo. Bouvard redobló las maldiciones y amenazas,
por lo que O'Connell supo que no había logrado transmitir la idea con precisión. Volvió a levantar los brazos pidiendo silencio, y el prisionero, cubierto de espuma, le
dedicó una mirada cansada. La luz empezaba a vacilar. El
irlandés se llevó las manos a la cintura, flexionó las rodillas, y empezó a bailar como un mujik. Los saltos sobre
un solo pie, con las rodillas dobladas, le hacían doler la
espalda, pero quería ser claro y concluyó el mensaje con
los brazos abiertos y la cabeza tumbada sobre el pecho.
Cuando levantó la vista encontró a Bouvard con la boca
abierta de asombro y la frente estragada por los tics. El
moho había desaparecido de su cara salpicada de grumos
de jabón y con la mano libre se tironeaba los pelos del pecho como un mono. Sonreía con una mueca extraviada,
cerrando un ojo.

—Ya lo tengo. . . —dijo en un hilo de voz—: *El acoraza-do Potemkin* de Eisenstein. . .

O'Connell lo miró, desconcertado. El francés asentía con una sonrisa y se refregaba la mano libre con la otra, atada a una viga. Al irlandés le pareció inútil seguir con-tándole su historia y encaró la cuestión que más le intere-saba. Trazó un signo de interrogación en el espacio y Bou-vard asintió, entusiasmado. O'Connell apuntó el dedo ha-cia arriba para señalar el consulado y caminó unos pasos abatido, como lo hacía Bertoldi.

—*Sin aliento,* de Godard —dijo el francés y se quedó es-perando la confirmación.

El irlandés movió la cabeza, resignado, y decidió llevar-lo al despacho para explicarle mejor. La soga se había hin-chado con la humedad y le costó desatarlo. Mientras su-bían por la escalera, Bouvard probó con otras películas y exigió que antes de comenzar con la mímica, el irlandés le indicara cuántas palabras tenía el título.

O'Connell lo acomodó en un sillón, tomó un papel y escribió *Pas de cinéma.* Y más abajo *Verité.* No sabía si la ortografía era correcta, pero supuso que le serviría de ayuda. Bouvard echó un vistazo al papel y luego lo inte-rrogó con la mirada. El irlandés encendió dos velas más y se puso a trotar alrededor del escritorio, golpeándose los labios con la mano derecha. Luego hizo el gesto de estirar un arco y disparar una flecha. Antes de que Bouvard pu-diera responder, volvió a señalar en el papel la palabra *Verité.*

—Los negros —dijo el francés y pidió un vaso de agua. O'Connell lo aprobó y le dedicó un aplauso. Calculó que el prisionero no estaba en condiciones de escaparse y fue a buscar el agua. Mientras el otro bebía, se paró cerca de las velas y repitió la corrida, ahora con el puño en alto.

—Negros comunistas —dedujo Bouvard.

O'Connell asintió, contento. La afirmación no le pare-cía exacta, pero no era el momento de entrar en detalles.

Señaló el poster de las Cataratas del Iguazú pegado en la pared y caminó otra vez como Bertoldi.

— ¡Ah, claro: el argentino! —entendió Bouvard y dejó el vaso sobre el escritorio. De sus brazos chorreaba un líquido apestoso, pero se lo veía más animado. O'Connell dibujó una hoz y un martillo y empezó a hacer como si disparara una ametralladora.

—El argentino hace una revolución comunista —respondió el francés y reclamó un cigarrillo. O'Connell le alcanzó uno encendido y volvió a escribir: *Avec Quomo et les Russes.*

—¿Quomo está en Bongwutsi? —se sorprendió Bouvard.

El irlandés asintió y le puso frente a los ojos la tarjeta de invitación al cumpleaños de la reina Isabel. Luego repitió el movimiento de la ametralladora.

—No me diga que atacó a los ingleses. . .

O'Connell movió la cabeza afirmativamente.

— ¡Increíble. . .! ¿Y usted. . .?

El irlandés abrió los brazos, como disculpándose, y fue a hurgar en su bolso. Bouvard podía comprender cómo se sentía un católico del Ulster traicionado y despojado de un millón de dólares. Pensó que si la revolución se había puesto en marcha con el dinero que Quomo le había robado en Zurich, su carrera estaba terminada. Se puso de pie tomándose de un estante de la biblioteca y pidió un par de aspirinas. Le quedaban dos alternativas: recuperar la plata o pedir asilo a los soviéticos y enterrarse para siempre en una granja de Ucrania. ·

O'Connell le pasó una tira de aspirinas y lo vio tan abatido que no se animó a encerrarlo otra vez. Lo despidió con un apretón de manos y lo miró alejarse tambaleando por el medio de la calle. Cuando la silueta del francés se borró bajo la lluvia, el irlandés pensó que el consulado argentino había dejado de ser un refugio seguro. Se sentó a terminar su informe al comandante Quomo y fumó, uno tras otro, los últimos cigarrillos. Releía cada párrafo a medida que ponía un punto, y sentía la tranquilidad de expresarse con más precisión que ante el agente Bouvard. En la última página anotó que se disponía a tirar contra el cuartel de los ingleses, los pocos cartuchos que le quedaban y, si Dios le daba ayuda, contra el propio palacio del Emperador. Hizo una gran firma, dobló los papeles hasta dejarlos del tamaño de un caramelo y los guardó en el crucifijo hueco que llevaba al cuello. Luego fue hasta el ropero y se probó un saco viejo del cónsul. Cerró la tapa del sótano, se echó el bolso al hombro, y antes de salir escribió sobre la pared, donde había estado la foto de Gardel, la única frase que conocía en español: *Hasta la victoria siempre*.

51

Un ruido en la escalerilla sobresaltó al cónsul. Estaba acurrucado bajo las hojas de tabaco, abrazado a la valija y desde allí podía ver la planchada por donde apareció el teniente Tindemann con una mano dentro de la chaqueta y la otra sosteniendo el paraguas.

A Bertoldi le pareció haberlo visto antes, en alguna recepción, pero no alcanzó a distinguir a qué país pertenecía el uniforme que se insinuaba bajo el impermeable entreabierto. El teniente miró a los costados y salió del campo de luz. Hizo unos pasos hacia el lugar donde estaba escondido Bertoldi cuando de repente se detuvo y levantó un pedazo de soga del piso.

En ese instante el cónsul vio llegar al capitán Standford y supuso que iba a asistir a una cita secreta. Sin embargo el teniente Tindemann, oculto detrás de la cabina, lanzó la cuerda al cuello del británico, le apoyó una rodilla en la espalda y tiró con toda su fuerza. Standford dejó escapar un bufido, disparó el revólver para cualquier parte y respondió con un talonazo que dio en la entrepierna del ruso. Desde su refugio, Bertoldi los vio moverse como borrachos. El inglés, con la soga al cuello, anduvo un par de pasos a la deriva, y derribó un tambor vacío. Tindemann estaba agachado cerca del timón haciendo flexiones con la boca abierta y las manos bajo la bragueta.

El primero en recuperarse fue Standford, que había perdido el arma. Levantó el tambor y lo lanzó contra el soviético que trataba de alcanzar el paraguas. Lo que Bertoldi podía ver y escuchar era más confuso que en las películas, pero de inmediato tomó partido por el adversario del británico. Cuando escuchó el ruido que hizo el tambor contra la cabeza de Tindemann, sintió una vaga decepción, y todo lo que pudo hacer por él fue apartar el revólver que había quedado en el piso. Standford se había librado de la soga y fue a golpear otra vez al ruso, que trataba de levantarse tomándose de la borda. La patada dio en los riñones de Tindemann que, al doblarse hacia atrás, perdió la gorra y el paquete de cartas que había capturado en la oficina de la OTAN. El inglés se distrajo un momento, sorprendido por el bulto que fue a parar a sus pies. Su primer reflejo fue la curiosidad y se agachó a mirar. El teniente aprovechó la distracción para alcanzarlo con un zapatazo en la canilla derecha. Standford hizo lo posible por sostenerse, pero luego de dar algunos saltos en una pierna, se desmoronó sobre las plantas de tabaco.

El agua arrastró el paquete hasta donde estaba el cónsul. El ruso y el inglés hacían grandes esfuerzos por reanudar el combate, pero la falta de entrenamiento y el vino de la embajada parecían pesarles demasiado. Bertoldi tomó el paquete y la gorra del teniente para arrojarlos hacia otro lado y vio un papel doblado en cuatro y sucio de tinta, que asomaba de un sobre. Con un sobresalto, reconoció su propia escritura, apretada y confusa. Sus dedos se

crisparon sobre el papel al tiempo que levantaba la gorra
del teniente Tindemann. Entonces descubrió, encima de
la visera, la severa estrella roja del ejército soviético.

52

Mister Burnett tenía el brazo agarrotado por el cansancio y la cabeza a punto de reventar, pero se sentía inmensamente feliz de haber abatido al amante de su mujer. Le
llamaba la atención que nadie aplaudiera su gesto, pero
cuando levantó la vista hacia la tribuna comprendió hasta
qué punto la corrupción y la barbarie habían invadido ese
país desde que Gran Bretaña lo dejó librado a su propia
suerte.

El coronel Yustinov, con los pantalones bajo las rodillas, correteaba por las gradas con el embajador de Kho-
meini sobre los hombros. Herr Hoffmann, que siempre
había detestado el alcohol, estaba sentado sobre la espalda de un camarero y se pintaba los labios con el lápiz de
la señora Fitzgerald. Los otros diplomáticos se tiraban
con maníes y canapés y también volaban algunos cigarrillos y papeles encendidos. En el último peldaño divisó a la
esposa del embajador griego que tenía una mucama apretada entre las piernas y se acariciaba los pechos desnudos.

Mister Burnett bajó la vista, avergonzado, y se preguntó si había valido la pena comportarse como un gentleman para preservar el honor y la dignidad de la corona.
Cuando por fin admitió que había pasado años ignorando
la inmoralidad y cerrando los ojos a la traición de su propia mujer, sintió que se ruborizaba por haber sido tan in-
genuo y a la vez tan íntegro. Por un momento estuvo tentado de mandar a incendiar todo, prender un fuego gigantesco que purificara esa ciudad corrompida por la igno-
rancia y la superchería. Vio pasar al italiano retorciéndose

sobre una camilla y se preguntó si sería oportuno conti-
nuar la velada en tales condiciones. Fue hasta la galería
para sentarse a pensar y se topó con un grupo de nativos
tirados en el suelo que tomaban champagne y jugaban a
los dados. Iba a sacarlos a patadas, pero uno de ellos, que
le pareció el electricista, lo miró con los ojos extraviados
por la borrachera y lo hizo retroceder.

Mister Burnett dio un grito para llamar a la guardia y
tomó por el sendero de piedra que llevaba a su atelier. Estaba tan abatido que ya no se regocijaba por haber apartado de su vida al commendatore Tacchi. Encendió la luz y
contempló con un dejo de tristeza la colección de barriletes de todos los colores que colgaban de las paredes. Había dejado años de su vida construyéndolos, siguiendo
minuciosamente todos los cursos por correspondencia,
pero nunca había logrado remontar ni uno solo, jamás
había detectado una brisa capaz de arrastrar un papel de
cigarrillo. El agregado de la Royal Air Force había hecho rastrear cada rincón del país en busca de un poco de
viento, pero todo resultó inútil. Cuando Mister Burnett
les preguntaba a los nativos, se daba cuenta de que ni siquiera sabían de qué les estaba hablando y tenía que so-
plar un fósforo para hacerse comprender.

En su juventud, cuando era ayudante de campo del gobernador de las Falkland, había llegado a odiar el viento
que no paraba nunca; después, como una manera de desa-
fiarlo, empezó a armar algunos barriletes que la tempes-
tad se llevaba enseguida. Mucho más tarde, cuando el Foreign Office le propuso negociar la independencia con el
emperador de Bongwutsi, creyó que se le presentaba una
buena oportunidad para desarrollar su vocación y se llevó
a Bongwutsi todos los libros que los chinos habían escrito
sobre el lenguaje de las cometas y las estrellas. En ese
tiempo no se le hubiera ocurrido que Daisy correría a
echarse en brazos de otro hombre mientras él trabajaba
con las tijeras y la cola.

Abatido, Mister Burnett se dejó caer en un taburete y

miró la pistola que tenía en las manos. Tal vez, imaginó,
si se suicidara allí mismo, su gesto podría salvar de la vergüenza y el deshonor a la comunidad diplomática, pero
dudó de que los otros europeos estuvieran dispuestos a
arrepentirse. Por más que él se sacrificara, el commendatore Tacchi, si salvaba la vida, seguiría siendo socialista y
mujeriego, Herr Hoffmann y Mister Fitzgerald continua-
rían con el contrabando de armas y Monsieur Daladieu
con el tráfico de diamantes. De cualquier modo, se dijo,
no podía pegarse un tiro sin antes escribir una carta contando los motivos que lo llevaban a ese acto irremediable.

Abandonó el atelier y atravesó el parque cabizbajo para
no ver lo que ocurría en la cancha de tenis. Oyó algunos
gritos alocados y la risa histérica de una mujer. Sentado al
borde de la piscina, remojándose los pies, encontró a un
soldado que se había quitado el casco y pitaba un charu-
to. Fingió no verlo y entró al vasto salón donde habían
estado cenando. Los nativos habían vaciado las botellas
que dejaron los blancos y Mister Burnett recordó, con
una sonrisa de compasión, la cara avergonzada del cónsul
Bertoldi el día que los guardias lo sorprendieron llevándose un jamón bajo el impermeable.

Se preguntó qué habría sido del argentino y recordó
que todavía no había llamado al banco para autorizar el
pago de su sueldo. Temió que Bertoldi lo tomara por rencoroso y fue a su despacho a escribirlo en la agenda.
Cuando entró, el teléfono estaba llamando.

—Teniente Wilson, señor. Parte de las novedades: el capitán Standford iba detrás del soviético, pero lo perdimos
en el puerto. Alguien estuvo repartiendo dinero a montones allí.

—¿De qué me habla, teniente? ¿Qué estuvo fumando?

—No quisiera equivocarme, señor, pero alguien está agitando a los negros.

—¿Usted quiere decir un blanco?

—Sí, señor. Las tabernas están llenas y no creo que cierren esta noche. Hay muchos billetes de cien dólares dando vueltas por ahí.

—¿Quién puede estar regalando plata, teniente?

—Me temo que no la regale, señor. Un francés de la *Sureté* dice que los comunistas le robaron una valija con un millón de dólares.

—Ajá, y después los anduvieron repartiendo por la calle. . .

—Algo así, señor. Alguien dio una exhibición en el cine. Una persona que estaba allí dice que vio a un blanco cubriendo el piso de billetes.

—Qué me está contando, teniente. . .

—Se lo estoy pasando por escrito, señor. Tampoco aparecen Standford ni el ruso.

—Por Dios, teniente, qué clase de servicio de informaciones tengo.

—Es una mala noche, Mister Burnett. El francés dice que lo secuestró la guerrilla. Parece que el argentino está al frente de eso.

—Vaya, muchacho, preséntese a su superior.

—Es el capitán Standford, señor. Perdimos contacto con él.

—¿Usted vio lo que está pasando en mi casa, teniente?

- Afirmativo, señor.

—Bien, ya que usted es el jefe de la guardia, quisiera conocer su opinión.

—Sin comentarios, señor.

—Adelante, hijo, hable.

—Bien, no me parece lo más adecuado para el cumpleaños de Su Majestad, señor. ¿Puedo saber si usted mandó seguir a un blanco durante la cena?

Mister Burnett hizo memoria un instante y anotó en la agenda: "ordenar que le paguen al argentino".

—Sí, a un tipo que se hacía pasar por paraguayo. Lo trajo el embajador de Italia.

—Encontramos a nuestro hombre con la cabeza rota, señor. Lo tiraron por una ventana.

—Bien, ¿qué quiere que le haga, teniente? ¿Sabe que acabo de matar a un hombre? Cuando usted llamó así, sin avisar, yo estaba por suicidarme.

—Lo siento, embajador. El commendatore Tacchi sólo tiene una herida en la pierna.

—No diga disparates, si le di en pleno corazón. Vamos, vaya a dormir un rato.

—Necesito algunos reflectores, señor. Es posible que Michel Quomo haya regresado a Bongwutsi.

—Mande encender los fuegos artificiales, entonces. Los nuestros deben estar desembarcando en las Falkland y merecen el homenaje.

—¿Alguna otra orden, señor?

—Cumpla con su deber y déjeme tranquilo, teniente. Ahora cuelgue, que estoy esperando una llamada de Londres.

53

La tropa del Boeing se inclinó hacia el río como si hiciera una reverencia. Quomo se afirmó en el comando y lo movió hasta que consiguió corregir el ángulo de aterrizaje. A la distancia vio dos luces solitarias y tuvo el presentimiento de que se trataba de una balsa de troncos que bajaba por el río. Apuntó la nariz del avión en dirección de los destellos y lo dejó planear. El sultán estabilizó el timón de cola y vio desfilar por el visor los primeros árboles. La confianza en la victoria y el silbido de las turbinas le daban una sensación de paz y beatitud.

El choque de un ala contra el agua lo sacó del asiento y le hizo dar la cabeza contra el vidrio. La mole de acero

crujió y todo el instrumental se despegó del fuselaje como
el revoque de una pared. Quomo quiso aferrarse al comando, pero salió despedido con el resto del tablero. El
avión zigzagueó un rato y luego se puso a brincar sobre
el río como una piedra arrojada desde la costa. El agua se
sacudió como desbaratada por un ciclón y el primer remolino se tragó la balsa de las luces y los cocodrilos que
dormían en las orillas. En la bodega, Lauri dejó de pensar
en el desembarco del Gramma y trató de permanecer encogido entre dos cajones de armas que se habían trabado
contra el paragolpes del Rolls Royce. Chemir hacía volte-
retas aferrado a una ametralladora checoslovaca y no atinaba a protegerse de los golpes.

Cuando empezó a salir humo del techo, Quomo mojó
un pañuelo y se lo acercó a la nariz como lo había hecho
en tantos otros incendios. El sultán se golpeó la cabeza
varias veces y en la rodada perdió el turbante con la piedra
dra preciosa. En los cursos para emergencias no le habían
dado una sola lección que hubiera podido serle útil esa
noche. Recordó que antes de interrumpir las reuniones
para retirarse a orar, el coronel Kadafi solía decir que la
fe movía montañas siempre y cuando los hombres empu-
jaran con todas sus fuerzas. Sintió, entonces, que había
cumplido con su deber y no le importó perder el avión, ni
se preocupó de cubrirse la cabeza maltrecha. Por momentos pensaba que debía encontrar una manera de comunicarse con Trípoli y pedir nuevas instrucciones. En el enredo de cuerpos, cables y restos de la computadora, Quomo
alcanzó a ver que el sultán sonreía y movía los labios como si dijera una plegaria. El Boeing, enloquecido, estrelló
un ala en las rocas de la orilla, se incendió y salió catapultado contra la corriente. Entonces Quomo ordenó abandonar el aparato antes de que lo ganaran las llamas, y buscó algún objeto capaz de romper el parabrisas. Había perdido la pistola, pero cuando vio que El Katar recuperaba
la suya se dijo que no les sería difícil salir. Estaba seguro

de que Chemir y Lauri estarían en sus puestos junto a las ametralladoras, pero no tenía idea de si el avión se detendría frente al arsenal, como él esperaba.

Ni bien el aparato frenó su carrera, Quomo se puso de pie y gritó al sultán que disparara contra el visor. Desde el piso, el árabe hizo fuego varias veces y los restos del vidrio se esparcieron en la oscuridad. El fuego empezaba a ganar la cabina y el fuselaje rugía enfriado por las olas y la lluvia. El sultán saltó al agua de pie, y la túnica se le abrió como un paracaídas. Quomo se sentó un instante sobre la trompa del avión y se ató los zapatos al cuello antes de zambullirse.

Nadó sin rumbo, hasta que pudo aferrarse a las raíces de un tronco derrumbado. Entonces se dio vuelta y miró a su alrededor. El fuego envolvía al avión y se levantaba hacia el cielo encapotado. Aspiró profundamente y sintió, por fin, el entrañable olor de su selva. Reconoció uno por uno los cantos de los pájaros que revoloteaban en la oscuridad. y los rugidos de los animales en desbandada. El agua que lo mecía entre las ramas era tan cálida y ligera como en los tiempos en que atravesaba el río con un atado de ropa sobre la cabeza para llegar impecable a la fiesta. La primera explosión se produjo en una turbina y Chemir se zambulló por un hueco abierto bajo el ala. Lauri fue detrás de él apartando lianas y arbustos que traía la corriente. Oyó que alguien llamaba desde la orilla y avanzó a ciegas guiado por los silbidos. Cuando hizo pie, gritó hasta que volvió a oír la señal. Eludió una fila de juncos y fue a reunirse con los negros en una playa de piedras. Chemir, cubierto de hollín y hojas amarillentas, lloraba entre los brazos de Quomo y le estrujaba la camisa empapada.

— ¡Volvimos, Michel! —sollozaba— . ¡Volvimos! —y no atinaba a decir otra cosa.

Quomo le puso una mano sobre la cabeza y Lauri vio en su mirada un fulgor que no conocía.

—Ya estamos —susurró —, ya estamos en casa.

En la otra orilla, el fuego había ganado el follaje y podía verse brotar la llovizna de las nubes.

—¿Dónde está el sultán? —preguntó Quomo y buscó con la mirada en el río.

En ese momento el avión estalló y la fuerza del viento los arrojó contra el bosque. Pedazos de acero encendido pasaron sobre sus cabezas y fueron a perderse entre la espesura. El paisaje se iluminó y entonces vieron al sultán que salía del agua, catapultado como un corcho de champagne. Chemir se acercó a la costa arrastrando la pierna y le hizo señas.

—¡Acá! ¡Bienvenido a Bongwutsi, camarada! —gritó y silbó imitando a Quomo.

El sultán se aproximó, encorvado, trastabillando. En una mano conservaba la pistola, pero parecía más pequeño con la cabeza descubierta.

—Impresionante —dijo—. Nunca en mi vida había visto tantos árboles juntos.

54

El cónsul se quedó un momento mirando el papel, tratando de leer entre las líneas que se disolvían bajo la lluvia, mientras el teniente Tindemann y el capitán Standford seguían peleando en cubierta. Se preguntó por qué las cartas estaban en manos de un oficial soviético, y como no encontró una explicación valedera pensó que algo grave estaba sucediendo y que lo más prudente sería arrojarlas al lago para que nadie más pudiera encontrarlas. Pero era tan incómoda su posición, acurrucado entre los fardos de tabaco, que cuando lanzó el paquete hacia la borda éste golpeó contra un hombro del teniente Tindemann y cayó a los pies del coronel Standford.

Aterrorizado, Bertoldi tomó la maleta y se precipitó

hacia la escalerilla del barco tratando de divisar si los negros no lo esperaban en la plaza del arsenal. En ese momento oyó una explosión y sintió que la tierra temblaba.
Cuando llegó al muelle vio que el arsenal empezaba a de-
rrumbarse y los soldados corrían despavoridos por la
plaza. En pocos minutos sólo quedaron ruinas y una polvareda espesa. Los fardos de tabaco entre los que había
estado oculto Bertoldi cayeron al muelle, y el teniente Tindemann quedó tirado en el piso como si lo hubiera volteado
un rayo. Standford se arrojó del barco y desapareció entre
las bolsas de café y las maderas amontonadas en el puerto. El cielo empezó a iluminarse y un viento caliente empujó los árboles. En el centro empezó a sonar una sirena
de bomberos y la gente salió a las calles con las radios para enterarse de lo que había sucedido. El cónsul tuvo el
presentimiento de que esa mañana no habría ómnibus para Tanzania y empezó a atravesar la plaza sobre escombros, armas desparramadas y heridos que se quejaban. Iba
a tomar por la ruta de la costanera cuando vio aparecer el
camión de la municipalidad. Kiko y los dos peones bajaron a mirar el desastre de la plaza y enseguida se pusieron
a recoger las armas esparcidas por el suelo. El cónsul los
oyó gritar en su idioma y vio que se apuraban a echar en la
caja todo lo que hallaban a mano. Se dijo que esa era la
última oportunidad que se le presentaba para alejarse de
allí. Los observó mientras levantaban fusiles y municiones
y se demoró un momento para no tener que ayudarles.
Cuando oyó la sirena que se acercaba por la avenida, levantó la valija y corrió hacia el Chevrolet gritando el nombre de Kiko.

55

En el momento en que el avión de Quomo chocaba contra el río, O'Connell intentaba poner en marcha el Cadillac del embajador de los Estados Unidos, estacionado a pocos metros de la zona de exclusión. El chofer estaba durmiendo sobre el volante y el irlandés no tuvo más que abrir la puerta y darle un puñetazo en la nuca. El motor arrancó enseguida y, al dar marcha atrás, el paragolpes rozó la puerta del Mercedes de Herr Hoffmann. Los guardias ingleses salieron de la garita y fue entonces cuando el cielo se volvió anaranjado y un remolino arrastró a los coches unos contra otros. Los soldados corrieron a protegerse entre las palmeras y hablaban a través de los walkie-talkie. El Cadillac de O'Connell patinaba encerrado entre un Lancia y un Renault. El irlandés calculó que la bomba que había puesto en el arsenal no podía haber causado semejante onda expansiva y culpó de todo a la inexperiencia del cónsul Bertoldi en el manejo de los explosivos. Encendió las luces y aceleró hacia la calle transversal. Los pedazos de mampostería desparramados sobre el pavimento le impedían ir más rápido, pero algo le decía que estaba acercándose al lugar de la batalla. De pronto se dio cuenta de que el coche llevaba la bandera de los Estados Unidos sobre un guardabarros y temió que pudieran confundirlo con el enemigo. Bajó por una avenida y cuando llegó al puerto encontró los restos del arsenal, la polvareda, y una ambulancia que recogía soldados heridos. Volvió a hacer la cuenta del trotyl y advirtió que había colocado tres veces más de lo necesario. Un camión de la municipalidad se alejaba calle abajo, y al encender las luces altas O'Connell distinguió la silueta de un negro que se asoma-

ba de la caja con una ametralladora colgando de un brazo.
El corazón se le estremeció y quiso dar un grito de entusiasmo, pero de su garganta no salió más que un sonido
débil y quejoso. Sobre la marcha, decidió ir detrás de los
revolucionarios, seguro de que lo conducirían directamente al centro de operaciones de Quomo. En el camino encontró a un blanco que se tambaleaba por el medio de la
calle y le cerraba el camino pidiendo auxilio. O'Connell
iba a esquivarlo antes de que el camión de los insurrectos
desapareciera de su vista, pero alcanzó a ver que el hombre llevaba bajo el brazo el paquete de cartas que el ruso
le había quitado esa noche en la oficina de la OTAN.

56

Mister Burnett esperó junto al teléfono, sin saber por
qué. Un par de veces estuvo a punto de llamar a Londres,
pero temía que le preguntaran por las celebraciones del
día de la reina. Subió a las habitaciones de Daisy y se detuvo a mirar la biblioteca y la sala de música. Había libros sobre la mesa de luz, encima del piano y hasta en el
baño. Mister Burnett se preguntó si las lecturas no ha-
brían envenenado el alma de su esposa, que nunca había
conocido las miserias de la vida. Recorrió unas páginas al
azar y lo sorprendió que los versos estuvieran escritos en
español. El nombre de Borges le decía algo y supuso que
quizás Daisy, que siempre había sido reticente en sus
confidencias, estaría estudiando otras lenguas para matar
el aburrimiento. En el dormitorio encontró los cajones de
la cómoda revueltos y la colección del *Times Literary
Supplement* por el suelo. Sobre una silla había un corpiño
abandonado y cuando lo miró de cerca le pareció que no
correspondía a la redondez de los pechos de Daisy. En

verdad, cuando lo pensó, mientras recorría el ribete de
encaje con los dedos, se dio cuenta de que no recordaba
con claridad las formas de su mujer, aun cuando no conocía otras, y las que solía ver en la publicidad de las revistas se le confundían y deformaban en la memoria. ¿Cuándo había hecho el amor por última vez con Daisy? ¿Antes
o después de que ella se entregara al embajador Tacchi?
Sin duda antes, porque la guerra lo había absorbido y la
preocupación no lo dejaba dormir en paz. Miró la cama,
enorme y sólida, y trató de recordar las escasas noches en
que Daisy no ponía música y él venía a golpear la puerta
de la habitación con dos copas de licor. Una la bebía
mientras ella se quitaba el maquillaje y otra al final, cuando Daisy se quedaba mirándolo en silencio, con los ojos
muy abiertos, como si quisiera preguntarle algo que él no
sabría responder.

Apoyó una rodilla sobre la colcha, dejó la pistola encima de una montaña de libros y empezó a quitarse la ropa
mojada. Sus mejillas coloradas habían empezado a infla-
marse y oyó que se le escapaba un carraspeo ronco y nervioso. En el espejo de la cómoda se vio la barriga blanca y
pecosa y desvió la mirada hacia una estampa japonesa que
nunca había comprendido. Se dejó caer boca arriba y se
quedó unos minutos mirando el techo, tironeado por la
ansiedad, un poco avergonzado, rehaciendo formas esca-
moteadas por la memoria, sacudido por el atrevimiento
del italiano y el descaro de Daisy, hasta que todo se dilu-
yó a su alrededor y cerró los ojos mientras se iba lejos,
violentamente, a su juventud, a Liverpool, al perfume fresco de un parque olvidado.

Tomó aliento con el pecho agitado por un vago sentimiento de angustia y mientras volteaba la cabeza hacia la
ventana vio el resplandor que salía del río y le pareció
que todo temblaba a su alrededor. Se levantó de un salto
y corrió al baño, pero cuando abrió la ducha se encontró
con que no salía ni una gota de agua. Parado en la oscuri-

dad, desnudo, con una mano enchastrada y las piernas va-
cilantes, oyó el viento que sacudía los vidrios y se colaba
por la claraboya del baño, y pensó que en un instante el
mundo había cambiado de Dios o de rumbo y que ahora
sí, de una vez por todas, podía salir a remontar las cometas chinas y las estrellas de cinco puntas.

57

Durmieron en una hondonada de hierba fresca cubierta
por árboles recién derrumbados. El último en acostarse
fue Quomo, que se internó en la selva y dibujó marcas en
los troncos para orientarse cuando desapareciera el resplandor del incendio. Mientras se abría paso en el follaje,
el comandante se preguntó si O'Connell tendría suficientes conocimientos de estrategia para sostener la ocupación del aeropuerto hasta su llegada. A lo lejos oyó el bra-
mido de un elefante seguido por miles de cantos, como si
la selva empezara a salir de su letargo. Cerró los ojos y le
pareció que escuchaba crecer los arbustos a su alrededor.
Se echó boca arriba y recordó la primera vez que su padre lo llevó a través de la selva, escapando de una patrulla
inglesa. Un insecto zumbó a su alrededor y fue a enredár-
sele en el pelo. Un cosquilleo le corrió por la nuca y lo
sintió en todo el cuerpo hasta que se quedó dormido.
Se despertaron a medianoche y Quomo envió a Chemir
a recoger cocos y dátiles maduros. El comandante sacudió
las ropas contra un tronco para sacarles la tierra seca y
Lauri vio, por primera vez en su vida, un gorila de pelo
amarillo. Estaba sentado sobre la rama más gruesa de un
árbol, brillando por el resplandor que llegaba del río, y
cada tanto hacía sonar un timbre. Al principio, Lauri no
distinguió ese sonido de otros que salían de la espesura,

pero luego oyó con claridad el ring-ring que llegaba desde
arriba. Levantó la vista y encontró la mirada del animal,
que estaba envuelto en un enjambre de moscas. Tocaba
un timbre metálico y luego se llevaba una mano a la oreja,
como si intentara capturar la melodía. Lauri retrocedió
unos metros sin perderlo de vista y después corrió a buscar a los otros.

—¿Dónde está? —preguntó Quomo.

Lauri señaló el lugar y los cuatro se acercaron en silencio. Al verlos llegar, el gorila chilló, dio unos saltos sobre
la rama y se abrazó al tronco más grueso.

—Ese no es de acá —comentó Quomo.

—Nguena —dijo Chemir.

—Sí, ¿pero qué hace aquí? —preguntó Quomo.

El mono bajó del árbol agarrado de una liana. Parecía
intimidado y se movió lentamente hasta esconderse detrás
de un matorral. Quomo gritó algo que Lauri no entendió
y luego agregó un discurso imperativo. Desde la maleza
llegó otra vez el sonido del timbre. El sultán soltó una ri-
sita nerviosa y siguió, deslumbrado, los movimientos del
comandante. Quomo apartó los juncos y tendió una mano en dirección del gorila. Estuvieron mirándose un rato,
juntando las narices como si se olfatearan. Nadie atinó a
moverse hasta que Quomo se sentó en el suelo y el animal lo imitó como si estuviera dispuesto a escucharlo.
Lauri se recostó contra un árbol de flores marchitas y
buscó, en vano, los cigarrillos que había perdido en el
río. El sultán se había quedado con la boca abierta, ató-
nito, envuelto en la túnica arrugada y sucia. El gorila dio
un grito largo, pero no parecía enojado. Quomo se golpeó
el pecho con los puños y le habló en un tono manso, per-
suasivo. Las moscas daban vueltas alrededor del animal
y cada tanto se paraban sobre su nariz húmeda. Por entre
el follaje bajaban hilos de agua que se perdían en la tierra
reseca. El gorila rubio miró caer la lluvia y se distrajo un
momento. Quomo extendió un brazo, recogió un poco

de agua en la mano y se lavó la cara. El mono movió la
cabeza, sorprendido, e hizo lo mismo. Una legaña larga
y azulada le salía de un ojo. Quomo asintió, dijo algo en
voz baja, y repitió el gesto con los dedos abiertos. El gorila dudó un instante pero volvió a imitarlo y dejó caer
el timbre redondo y cromado. Quomo lo recogió cuidadosamente, mientras el mono miraba a los dos blancos
con curiosidad. Al rato se dio cuenta de que le habían
quitado el juguete y lanzó un rugido amenazador; sacó
las uñas, tomó a Quomo de un brazo y lo sacudió como a
una palmera. El comandante protestó a los gritos y cuando pudo juntar las manos hizo sonar el timbre varias veces hasta que el gorila se quedó quieto, mirándolo hacer.

—Eso viene de una bicicleta —dijo Chemir.

El sultán lo miró y se rió como si se tratara de un
chiste.

Quomo hizo sonar el timbre una vez más y se lo devolvió al gorila que tendía la mano, ansioso.

—Entonces el tren no puede estar lejos —dijo.

El gorila se paró y fue a unirse al grupo, como uno más.

—¿De qué está hablando? —preguntó el sultán, perplejo.

—En esta época del año los gorilas bajan a la ciudad por
las noches y hay un tren que los trae de vuelta a la selva.
Con este se equivocaron, porque los Nguena viven en el
norte.

El comandante se paró frente al mono e imitó el ruido
de una locomotora. El animal dio dos saltos, tocó el timbre varias veces y corrió hacia la espesura doblado en dos.

—Vamos con él —dijo Quomo.

58

Cuando Kiko vio correr al cónsul tropezando con la valija entre los escombros, ya estaba enterado de que un ra-

to antes había estado repartiendo dinero en la plaza del arsenal. No bien oyó la noticia en el bar, salió a buscar el camión y arrancó en dirección del puerto. El ventarrón que venía del río le recordó otro día y otra gente que ya no estaba allí. Al llegar a la plaza bajó del camión y ordenó a los dos peones que buscaran a Bertoldi entre los restos del arsenal. Cuando encontró las armas y las municiones, tuvo la idea de cargarlos en el camión por si alguna vez le hacían falta. Al apartar los restos de una letrina para liberar un mortero flamante, el peón al que le faltaba una oreja encontró las piernas del teniente Tindemann que asomaban bajo unos fardos de tabaco. Kiko se ilusionó un momento pensando que habían hallado al cónsul, pero cuando tiraron de las botas vieron aparecer el maltratado uniforme del Ejército Rojo.

Kiko, que a la caída de Quomo había pasado seis meses preso de los soviéticos por infantilismo ultraizquierdista, reconoció inmediatamente las insignias y mandó que lo abandonaran allí. Cargaron las últimas armas y se disponían a dejar el lugar, cuando el peón de una sola oreja preguntó si no quedaría en Bongwutsi alguien capaz de dar algo a cambio de un oficial ruso. Kiko ya había puesto en marcha el Chevrolet, pero al oír la pregunta de su compañero se le ocurrió que podía llamar a algún amigo y consultarlo sobre el valor de canje actual de un agregado militar soviético.

El de una sola oreja saltó de la cabina, fue a ver si el blanco estaba vivo todavía, y volvió a guiar a Kiko para que hiciera retroceder el camión hasta donde estaba el teniente. Los peones lo echaron a la caja y en el momento en que iban a alejarse hacia los suburbios, el cónsul Bertoldi llegó corriendo entre las ruinas, llamando a Kiko y haciendo señas desesperadas.

El chofer fingió no reconocerlo y lo alumbró con una linterna en el momento en que Bertoldi se golpeaba el pecho con la mano desocupada y decía con la poca fuerza que le quedaba:

—¡Amigo! ¡Esperar amigo!

Kiko bajó la luz y quiso tomar la valija. El cónsul, casi sin darse cuenta, la hizo a un lado y sonrió. Desde el panamá le caía el agua en goteras.

—Llevarme —dijo y metió la mano al bolsillo del pantalón, debajo del impermeable.

Los peones vieron las libras y se amontonaron a su alrededor, pero Kiko los apartó, señaló el camión e insistió en agarrar la valija.

—Subir rápido —dijo —. Venir policía.

Bertoldi apartó otra vez la valija y fue hacia la caja.

—No —dijo Kiko —, esta vez amigo ir adelante.

Bertoldi sintió que algo no andaba bien, pero estaba tan cansado y harto de ir sin rumbo, que aceptó el riesgo y entró a la cabina por la puerta que le abría el chofer.

—¿Sheraton? —preguntó Kiko.

—Estación —respondió el cónsul —. Voy a tomar el ómnibus.

—Primero al hospital —dijo el chofer y señaló la caja—. Llevar un herido.

—De acuerdo —dijo Bertoldi que había puesto la valija entre las piernas —. ¿No sabe si sale a horario el rápido a Tanzania?

—¿Tanzania? —se sorprendió Kiko y arrancó por una calle que bajaba hacia el lago —. ¿Qué hacer en Tanzania?

—Negocios —dijo el cónsul —. Reuniones de diplomáticos.

—¿Rendirse?

El cónsul se quedó mirándolo un momento. Kiko manejaba con una sola mano y apenas si miraba la carretera oscura.

—No me ofenda —dijo con voz firme y sacó un cigarrillo. Mientras lo prendía le pareció ver un gorila que atravesaba la ruta y se preguntó si no sería el mismo que había encontrado la noche que salió a cenar con O'Connell.

—Si Kiko tener pasaporte llevarlo a Tanzania.

—¿En el camión? —Bertoldi hizo una mueca de desdén.

—Bujías nuevas —dijo Kiko señalando el capó.

—Gracias. Si me deja en la estación me hace un favor.

De repente el chofer sacó el camión de la carretera y entró al bosque por un camino de barro. El Chevrolet coleó unos cien metros, y antes de que el cónsul se animara a preguntar nada, se detuvo entre dos troncos podridos.

—Usted huyendo —dijo Kiko y se desparramó en el asiento. La lluvia picoteaba sobre la cabina. A Bertoldi lo puso incómodo la suficiencia del negro, pero todavía no pensaba que podía perder el dinero.

—Todo el mundo escapa de algo —dijo—. Es inútil, la vida es así.

—Kiko no poder. Tener algo que valer mucho, pero faltarle pasaporte.

—¿De qué escapa usted? —preguntó el cónsul y tiró la colilla en el bosque.

—Quomo volver a Bongwutsi y Kiko estar viejo para revolución.

—¿De dónde sacó eso?

—Igual que vez pasada: llegar comandante y temblar tierra.

—No diga tonterías. Si necesitaba un pasaporte, ¿por que no me fue a ver antes? Somos amigos, ¿no?

—Antes no tener ruso para cambiar a usted.

—¿Qué quiere decir?

—Ustedes necesitar ruso para ganar guerra. Kiko mostrar.

El chofer salió del camión y lo invitó a seguirlo con un gesto. Entonces el cónsul intuyó que había llegado al final del camino.

Bajó con la valija apretada contra el pecho aunque sabía que no podría defenderla. Fue detrás de Kiko sin entender qué hacía allí, a las dos de la mañana, lejos de su casa, de Estela, de sus papeles inútiles, con tres negros

que lo habían llevado a una emboscada. La baranda se
volcó con un ruido de bisagras mal aceitadas y antes de
que Bertoldi pudiera echarse atrás, el cuerpo del teniente
Tindemann se desplomó sobre su cabeza.

59

El capitán Standford vio la bandera de los Estados Unidos y se avalanzó sobre el Cadillac antes de que O'Connell
acelerara. El irlandés, que lo había visto rondar por el salón de la embajada británica, tuvo un instante de duda al
encontrarlo en medio de la calle, cubierto de polvo, con
una manga del saco desgarrada y las cartas del cónsul bajo
el brazo. Eludió un cuerpo caído en el medio de la calle y
fue cuesta abajo, detrás del camión de los negros. Standford dejó la pistola en la guantera y se limpió la cara
mientras murmuraba todas las variantes de insultos contra
el Africa en general y contra Bongwutsi en particular. Por
fin miró a O'Connell y le pidió un cigarrillo.

—Déjeme en la embajada —dijo—, el ruso se me hizo
humo en el atentado.

O'Connell le pasó un Pall Mall, señaló el paquete de
cartas casi deshecho, y lo interrogó con un gesto.

—¿Esto? —la voz del inglés sonó fanfarrona—. Los Manuscritos del Mar Muerto, colega. Parece que los *argies*
quieren traer la guerra hasta acá.

O'Connell miró otra vez y no tuvo dudas de que era el
mismo paquete que el ruso le había quitado unas horas
antes.

—¿Adónde vamos con tanto apuro? La embajada es
para el otro lado —protestó el capitán Standford.

El irlandés señaló adelante, e hizo como si disparara un
revólver.

—No sea necio, si fuera por ustedes los rusos ya estarían paseándose por Las Vegas. En Washington piensan que los argentinos van a hacer la guerra solos, ¿no? —cerró el vidrio y encendió el aire acondicionado—. ¡Dios, así vamos a terminar comiéndonos entre nosotros!

De pronto, O'Connell vio que el camión, que no tenía luces de señalización, salía de la ruta y se metía en la selva. Levantó el pie del acelerador y la caja automática fue frenando el motor. Encendió los faros largos y vio un sendero de barro que se insinuaba junto al pavimento. Dobló como pudo y el coche se meneó entre el follaje hasta que las ruedas se hundieron en un charco. Standford había extendido los brazos y se apoyaba contra el tablero.

— ¡Oiga, qué hace! —gritó y perdió el cigarrillo.

O'Connell intentó una maniobra a ciegas y el Cadillac empezó un trompo suave y silencioso hasta que dio de cola contra una palmera.

— ¡Maravilloso! —dijo el inglés y guardó la pistola—. Si en la CIA son todos como usted es fácil entender por qué Fidel Castro sigue vivo.

O'Connell dio la vuelta corriendo por detrás del auto y abrió la puerta de Standford, que estaba juntando algunas cartas del piso.

Hubiera querido decirle que ya se encontraban en territorio libre de Bongwutsi, en Africa socialista, pero no le salió una palabra. De rabia, arrancó la bandera que colgaba sobre el guardabarros, la tiró al suelo y le empezó a saltar encima. Standford lo miró con una mezcla de pena e indignación y pensó que por culpa de ese imbécil tendría que volver hasta la embajada a pie y sin impermeable.

60

La marcha a través de la selva fue lenta y dificultosa.
El sultán, que tenía los pies planos, apenas podía caminar
en la oscuridad, entre el follaje, por las lagunas y las hon-
donadas que el gorila rubio atravesaba tocando timbre como un poseído. Al cabo de una hora se detuvieron a descansar. Quomo llamó al mono y estuvieron dando saltos
y vueltas carnero bajo la lluvia hasta que quedaron en-
chastrados y malolientes. Lauri los observaba, sentado bajo un arbusto, recordando las películas de Tarzán que
veía por televisión. Nunca había estado en la selva, pero
no se sentía más extranjero allí que en las ciudades de
Europa por las que había deambulado en busca de refugio. Le hubiera gustado hablar de eso con Quomo, pero
el comandante seguía jugando con el gorila, le mostraba
una serpiente que tenía apretada en un puño y entre car-
cajadas amenazaba con metérsela en la boca. El mono la
miraba debatirse, mostrar la larga lengua negra, y retrocedía haciendo gestos de disgusto y tapándose los ojos. Chemir estaba acostado sobre un lecho de hojas frescas y sonreía como un padre que mira jugar a sus hijos. Los mos-
cardones volaban desorientados por la lluvia y los sapos
saltaban entre la hierba mojada. El sultán se había retirado a rezar una plegaria al borde de un arroyo de aguas
cristalinas bordeado de flores y árboles enanos.

Cuando estaba agachado, invocando al Todopoderoso,
advirtió que varios gorilas lo miraban, extrañados, desde
la otra orilla. Molesto, dio por terminada la oración y volvió a donde estaban sus compañeros. Quomo le mostró la
serpiente y El Katar la comparó con la Viuda Azul del

desierto, que el coronel·Kadafi citaba siempre para simbo-
lizar el pecado y la maldad del imperialismo.

—¿Qué quiere de mí el coronel? —preguntó Quomo casi al pasar.

—Que les complique la vida a los aliados.

El comandante asintió, dejó la víbora, y ordenó prose-
guir la marcha. Chemir repartió algunas frutas y cruzaron
el arroyo a paso lento. Luego se internaron en una selva
cerrada y ciega, apenas guiados por el sonido del timbre.
Al atardecer desembocaron en una vasta sabana ondulan-
te donde podía verse la lluvia golpeando la hierba. Por el
descampado deambulaban decenas de gorilas empapados
que parecían haber perdido la orientación. Giraban en
redondo, con los brazos colgando como tallos marchitos.
Algunos se detenían un momento, se golpeaban el pecho,
lanzaban largos gemidos y seguían su camino al azar.

El mono rubio tomó a Quomo de un brazo, lo arrastró
unos metros y lo levantó de las piernas mientras daba gritos que parecían de entusiasmo. A lo lejos, diluida por la
cortina de agua, el comandante vio la silueta negra de una
locomotora a vapor.

— ¡El tren! —gritó—. ¡Allá está!

Enganchados a la máquina había tres vagones de pasajeros y uno con carbón para la caldera.

—¿Eso funciona? —preguntó Lauri.

Quomo se volvió hacia el gorila rubio y empezó a darle
instrucciones con muecas, ademanes y palabras incom-
prensibles. El animal parecía nervioso, saltaba de un pie a
otro y se rascaba la cabeza embarrada. Varios gorilas se
habían acercado y seguían la charla con una atención cris-
pada. En la cara de Quomo había huellas de cansancio,
pero su mirada era serena.

—Hay que apurarse —dijo—. O'Connell nos está esperando.

Subieron por una barranca y encontraron dos hombres

durmiendo en calzoncillos bajo la locomotora. La ropa estaba secándose cerca de la caldera, junto al retrato del Emperador. Chemir se agachó a despertarlos y les habló en su lengua.

—¿Perdieron el safari? —preguntó el más viejo, que parecía ser el maquinista.

También Quomo les habló en su idioma y los hombres parecían impresionados. El maquinista se pasaba la mano por el cuello y no dejaba de decir que sí con la cabeza.

—Yo creí que lo habían fusilado —dijo para que lo oyeran los blancos.

—Lo fusilaron —confirmó Lauri—, pero ahí lo tiene.

—El comandante Quomo... —dijo el más joven, y fue a ponerse la blusa de ferroviario. No parecía del todo convencido.

Quomo bajó por el terraplén e hizo señas en dirección del descampado donde estaban reunidos los monos. El sultán preguntó si había un radiotransmisor o un telégrafo a bordo y el maquinista negó, asombrado.

—¿Así que ése es Quomo? Se hizo famoso en el ferrocarril, le aseguro. En aquel tiempo los trenes iban donde querían los pasajeros...

—Siempre es así —dijo Lauri.

—No crea —dijo el maquinista—. Cuando este hombre estuvo en el gobierno había que hacer una asamblea por cada salida y eso era un lío.

—¿Qué decidían?

—El rumbo del tren. Quomo abolió los horarios y los destinos fijos porque decía que el orden es contrarrevolucionario. Entonces la gente compraba boleto único, organizaba una asamblea y después íbamos para el lado que decidía la mayoría. Yo tuve que manejar más de cien veces hasta Uganda.

—¿Por qué iban tanto a Uganda?

—Para escapar del comunismo. Claro, en la frontera nos

mandaban de vuelta, pero mucha gente conseguía pasar.
¿Usted está seguro de que este hombre es Quomo?

—Seguro —dijo el sultán— ¿Cuánta gente en armas hay
en Bongwutsi?

—¿En armas?

—Sublevada.

—Cuando yo salí no vi a nadie. La radio no dijo nada.

—¿Usted va a tomar las armas?

—¿Cuándo?

—Ahora, cuando lleguemos. Quomo va a hacer la revolución.

—¿Otra vez? No sé si me voy a atrever a decírselo, pero
eso no es bueno para el ferrocarril.

Lauri tenía ganas de fumar y estaba cansado. Bajó al
terraplén y vio a Chemir que estaba escribiendo en una ta-
bla algo que copiaba de un papel. Por el otro lado llegaba
una fila de gorilas conducidos por el rubio. Quomo les
indicaba que subieran al tren.

—¿Qué hace? —le gritó Lauri.

—Vamos a entrar a Bongwutsi con un ejército de monos.

—¿Y el proletariado?

—No sé cómo hacían ustedes, Lauri, pero aquí hay que
arreglarse con lo que hay.

61

Desde la puerta de su atelier, Mister Burnett oyó los
gritos de los diplomáticos que corrían a ponerse a salvo
del ventarrón. El cielo era un gran arco iris de fuegos y nubes y sólo el Primer Ministro sabía lo que significaba ese
estremecimiento en las entrañas de Bongwutsi. El coronel

Yustinov pasó por el sendero de lajas levantándose los
pantalones, tambaleante, cubierto de crema y chocolate,
hablando solo. Más allá, el teniente Wilson trataba de ordenar la retirada de los invitados hacia el bulevar con algunos guardias que habían tomado y fumado demasiado
y no parecían serle de mucha utilidad.

El Primer Ministro se acercó a Mister Burnett, que
estaba remontando la estrella de cinco puntas, envuelto en una salida de baño, y le dijo que Quomo había regresado y que necesitaría de los soldados británicos para
hacer frente a una nueva revolución. El embajador le
respondió con una carcajada y se fue corriendo, dándole
hilo al barrilete que ya volaba por encima de la arboleda.
"Pónganle música, pónganle música", gritaba, hasta que
se perdió en la oscuridad.

El teniente Wilson quería llevar a Monsieur Daladieu
ante el agente Jean Bouvard, porque no había entendido
bien lo que éste le había contado y dudaba de que estuviera en su sano juicio. Pero el embajador de Francia
se había ido en la ambulancia con el commendatore
Tacchi para certificar que el honor de Mister Burnett
estaba a salvo y de paso comunicar los últimos acontecimientos al Quai d'Orsay. En medio de la confusión,
algunos diplomáticos se quejaban de haber perdido a
sus mujeres, y el Primer Ministro gritaba que era necesario salir a patrullar la ciudad. El teniente Wilson, des-
bordado, pidió que le trajeran un jeep para ir a encender personalmente los fuegos artificiales. Quería hacer
la cuenta de la tropa que le quedaba e impartir las primeras órdenes de represión.

62

Junto al teniente Tindemann, cayeron del camión algunos fusiles y un obús que había servido en la guerra de Vietnam. Bertoldi miró a los negros y pensó que estaba perdido. En unas pocas horas había pasado de la euforia de la partida a la convicción de la muerte. Lamentó (y creyó que ése era el último sentimiento de su vida) no haber pasado la noche en el Sheraton con la adolescente casi desnuda. Pero también tuvo tiempo de recordar los blanquísimos pechos de Daisy, el aire ausente de Estela y su triunfal entrada al bulevar de las embajadas. No intentó escapar: apenas se movió para abrazar la valija, y se sentó en el pasto. Kiko se agachó a su lado y le pasó un brazo sobre los hombros.

—Acá tiene —dijo—, dejarle todo esto. Un ruso y algunas armas siempre ser útiles cuando uno estar en guerra.

Bertoldi levantó la vista y encontró una cara amable, de ojos compasivos.

—¿Y ahora para qué los quiero? —dijo en voz baja y empezó a sollozar como el día que le robaron la billetera. Kiko le dio unas palmadas suaves en la espalda y le sacó la valija sin esfuerzo, como quien le quita el reloj a un muerto.

El ruso los miraba sin entender, preguntándose si debía seguir con su misión o regresar a la embajada para pedir instrucciones.

De repente, por el camino de tierra, vio aparecer al correo del Foreign Office y más atrás, al capitán Standford, que llevaba una pistola. Rápidamente se agachó, tomó el primer fusil que encontró al alcance de la mano, y cuando O'Connell se precipitó hacia ellos con el puño levantado, le disparó apoyándose en el hombro del cónsul argentino. En un instante todos estuvieron de cara al suelo y Standford empezó a descargar su pistola contra los que se arrastraban detrás del camión.

63

El tren avanzaba lentamente entre las colinas. Los monos miraban por las ventanillas como si nunca hubieran visto la selva y de vez en cuando se escuchaba un grito destemplado, o un largo bostezo. Lauri se había encerrado en el baño y Quomo estaba sentado junto al gorila rubio, con la mirada puesta en un punto fijo, como si estuviera pensando. El sultán, que no podía dormir, fue hasta la máquina, donde los negros discutían y se pasaban una botella. Cuando lo vieron acercarse dejaron de hablar y uno de ellos empezó a hojear una revista. El Katar notó que habían sacado el retrato del Emperador y en su lugar habían pegado un poster de John Travolta. Les dirigió una sonrisa y señaló la botella.

—¿Desalcoholizado? —preguntó.

Los negros se miraron entre ellos y el fogonero respondió como por obligación.

—Grapa —dijo, y siguió mirando la revista.

—Pero sin alcohol —insistió el sultán.

El maquinista le alcanzó la botella y con un gesto lo invitó a probar. El Katar sintió que el líquido le quemaba el estómago y le remontaba el ánimo y eso lo convenció de que, como decía el coronel, el mundo sería un día de los negros. Iba a decirles que todavía no podía superar el disgusto de haber perdido el Rolls Royce, pero temió que no lo comprendieran. Cuando insistió en ponerlo en la bodega del Boeing, pensaba que sería mucho más digno y foto

génico tomar el palacio imperial con un Rolls que con un
jeep cualquiera.

Apuró otro trago y devolvió la botella con un gesto de
satisfacción. El resplandor del avión incendiado se estaba
apagando y la lluvia entraba por las ventanillas de la locomotora. El maquinista le miró la ropa hecha añicos y señaló el vagón de los gorilas.

—El comandante —dijo—, ¿habrá cambiado de idea?

—No creo — dijo el sultán—. Todo esto será una gran
destilería y va a haber trabajo para todos.

—Destilería no está mal —dijo el maquinista—, siempre
que no empiece otra vez con el sorteo de parejas.

—¿Sorteo? —preguntó El Katar, y pensó en las asambleas populares del desierto.

—El que hacía con la lotería. Al final es peor que andar
necesitado.

—¿Quomo rifaba mujeres?

—Mujeres y hombres, obligatorio para mayores de ca-
torce y menores de setenta. Uno se pasaba la semana esperando la jugada y después le tocaba cada cosa que mucha gente prefería cumplir los treinta días de cárcel. Yo
nunca tuve suerte con las mujeres.

—¿Cómo lo hacían?

—Con el número de documento y un bolillero en
cada barrio, como para el servicio militar. A mi mujer
le tocaron dos muchachos jóvenes y una senegalesa gor-
dita, pero a mí me salía cada cosa terrible. El comandante lo llamaba socialismo sexual, o algo así. Los rusos terminaron con eso.

—En Libia hubiera sido mal visto —dijo el sultán.

—En cualquier parte. Al comandante le tocaban lin-
das mujeres porque siempre tuvo suerte en el juego, pero
yo le aseguro que muchas veces tuve ganas de dar parte de
enfermo.

—¿Lo quiere el pueblo?

—¿A Quomo? Cuando lo fusilaron hubo tres meses de

duelo y eso que estaba prohibido nombrarlo. Todavía
hay gente que tiene su foto enterrada en el patio. A la noche, con el apagón, la sacan y le prenden una vela.

—¿Usted lo hace?

—No, en el ferrocarril no es muy popular. Los ingleses
eran mejores con los trenes: ahora ya casi no funcionan.

—Ya se van a usar de nuevo —el sultán señaló la botella—. Van a tener que llevar tanques y tanques de esto
hasta el puerto.

—Puede ser, pero si Quomo llega al gobierno nos van a
cerrar todas las aduanas. ¿A dónde van ahora con esos
monos?

—A tomar el palacio imperial.

— ¡Eso no me lo quiero perder! Dicen que el trono es
de oro macizo.

—Venga con nosotros, entonces.

—No, si va a estar el Emperador seguro que lo pasan por
televisión.

64

Las balas del teniente Tindemann no dieron en el blanco, pero le confirmaron a O'Connell su sospecha de que
los soviéticos habían copado la revolución. Se arrastró
hasta un matorral y vio que los negros tomaban las armas
y se preparaban para la resistencia. Bertoldi, que se había
tirado cuerpo a tierra, estaba replegándose hacia un zanjón. El capitán Standford, parapetado detrás de un árbol,
recargaba la pistola y gritaba a O'Connell que pusiera en
marcha el auto. El irlandés recordó la promesa de Quomo
de que nunca más volvería a aliarse a los rusos y se sintió
decepcionado. Pese a su indignación, a la amargura de
comprobar que nunca tendría un lugar entre los desposeí-

dos de la tierra, empezó a deslizarse a espaldas de Standford, que estaba disparando otra vez. Una ráfaga de metralla le pasó sobre la cabeza y se dijo que no había cosa
más triste en este mundo que ser abatido por los propios
camaradas.

El cónsul miró la valija abandonada por Kiko, que había ido a refugiarse detrás del camión, y creyó que O'
Connell había llegado hasta allí para buscar el dinero. En
ese caso, cualquiera fuese el resultado del combate, su vida estaba en peligro. Levantó uno de los fusiles y con el
caño atrajo la valija hasta el zanjón donde estaba escondido. Una vez que la tuvo en sus manos se internó en la selva y rogó a Dios que le permitiera salir de allí. Nunca lo
molestaba con plegarias, y la única vez que lo había invo-
cado, junto al lecho de Estela, el Señor no había respondido a su súplica. Entonces, mientras apuraba el paso en
la oscuridad, tropezando, llevándose por delante los arbustos, se dijo que el Cielo estaba en deuda con él. Trató
de no alejarse demasiado del camino y anduvo hasta que
advirtió que nadie lo seguía y pudo detenerse a descansar
un momento. Estaba agitado, confuso, y tenía miedo de
pisar una serpiente o de caer en una ciénaga. Hacía dos
meses que vivía acorralado. Desde el comienzo de la guerra había tratado de hacer lo que cualquier buen argentino hubiera hecho, pero las cosas le habían salido mal porque todo el mundo se interponía en su camino, y nadie estuvo nunca más solo que él. Y sin embargo todavía no estaba vencido, ni se había entregado. Había dejado el consulado, pero aún tenía la bandera en la valija y eso lo re-
confortaba como si llevara detrás de él a diez mil soldados. Se sentó sobre una piedra, sacó la botella y tomó un
trago. En el bolsillo del impermeable encontró los cigarrillos, pero no se animó a prender uno por temor a ser
visto en la oscuridad. Miró la hora y calculó que si caminaba siempre en la misma dirección encontraría la ruta
por la que pasaba el ómnibus para Dar-es-Salaam. Todavía

escuchaba tiros, y si alguien le hubiera preguntado, diría
que le gustaría saber que O'Connell les había dado su mere-
cido a los negros. Pensaba en la perfidia y la hipocresía de
los nativos, cuando llegó a un claro y encontró un terraplén que cortaba la selva en dos. La lluvia volvió a gol-
pearle el sombrero y se alegró de ver los nubarrones sobre las copas de los árboles. Subió la pendiente arrastrando la valija, inclinándose para no perder el equilibrio, y
cuando llegó arriba se encontró con las vías del ferrocarril y un cartel que decía *Bongwutsi Station 15 Km.*

65

O'Connell se acercó a Standford, que vaciaba su penúltima carga de balas, y le dio con una piedra en la cabeza.
Inmediatamente agitó los brazos y, ocultándose detrás del
árbol, avisó a los que disparaban que el peligro había pasado. El teniente Tindemann bajó el arma y ordenó al
enemigo que fuera a colocarse delante de las luces del
camión.

Cuando vio salir del bosque al correo del Foreign Office, el soviético pidió a Kiko que pusiera en marcha el
Chevrolet. No entendía las señas que hacía el otro y lo
único que le importaba era que tenía el paquete de cartas
en la mano y no parecía dispuesto a seguir resistiendo.

Kiko dio una vuelta de manija al motor y los dos peones fueron a poner pasto y ramas bajo las ruedas para sacarlo del pantano. El chofer lamentaba que su plan se hubiera arruinado con la aparición de O'Connell y la huida
del hombre de las Falkland. Sabía que el regreso de Quomo volvería a meterlo en dificultades, y un poco de dinero para afrontarlas no le hubiera venido mal. Lo que
más temía ahora era que los soviéticos volvieran a meterlo en la cárcel, donde había pasado la mayor parte de su

vida. La primera vez, en la revolución de la independencia, los ingleses lo habían llevado a trabajos forzados por negarse a tirar contra una manifestación; más tarde los rusos lo habían condenado por negarse a entregar la bandera roja que Quomo le había confiado en las trincheras del puerto.

El teniente Tindemann mandó que tiraran el cuerpo de Standford en un pantano y condujo a O'Connell hasta la cabina.

—Rápido —dijo al chofer mientras cerraba la puerta —, busque un teléfono.

—No teléfono en ruta —dijo Kiko, y decía la verdad —. Unico teléfono en ramal ferroviario.

—¿Dónde queda eso?

—Caminar por vías tres kilómetros —señaló la dirección por donde había huido Bertoldi.

—¿Caminar?

—Puesto de señaleros. No poder entrar con camión.

—Vamos directamente a la embajada soviética, entonces. ¿Qué hay en la radio a esta hora?

—Pura música yanqui. Porquerías.

—Póngala igual. Un poco de rock no nos va a venir mal.

66

Al ver aparecer el tren en la curva, el cónsul saltó a un costado de las vías y estuvo a punto de rodar por el terraplén, arrastrado por el peso de la valija. Pero enseguida advirtió que la locomotora avanzaba muy lentamente, envuelta en el vapor, despidiendo un humo denso que se diluía en la negrura de las nubes. Parado en la oscuridad Bertoldi leyó el cartel amarrado a la trompa de la máquina:

AQUI VUELVE EL COMANDANTE QUOMO
PROLETARIOS DEL MUNDO UNIOS

Vio monos asomados por las ventanillas y encima de los techos y pensó que el calor y los disgustos lo hacían ver fantasmas; pero cuando pasó el furgón de cola, cargado de carbón, lo corrió y subió de un salto. Estaba ahogado por el calor y se dejó caer sobre el piso tiznado, pensando obsesivamente que debía llegar a tiempo para alcanzar el ómnibus a Tanzania.

¿Lo sabría la patria? ¿Se enteraría algún día de lo que hacía por ella? ¿Su nombre estaría alguna vez en los libros? Por las dudas, al llegar a Suiza tomaría una secretaria para dictarle sus memorias y luego las enviaría a la cancillería de Buenos Aires.

A través del vidrio vio a un negro desharrapado que se paseaba dando gritos entre los asientos ocupados por los monos y descartó que ese mamarracho pudiera ser el dictador Quomo. Luego cayó en la cuenta de que los gorilas viajaban de la selva hacia la ciudad y no a la inversa, como sucedía siempre, y esa comprobación lo dejó desconcertado e inquieto.

67

También Lenin había ido en tren hacia la revolución. Lauri lo estaba pensando mientras Quomo abría las puertas de los vagones, iba y venía hablándoles a los monos, sacudiéndolos cuando se dormían o se ponían a arrancarse los parásitos con aire distraído. Chemir y el sultán vigilaban al maquinista y al fogonero para que no los llevaran por una vía muerta: tenían orden de detenerse en el puesto de lo señaleros donde había un teléfono de campaña. Lauri, colgado del pasamanos, miraba hacia la flaca luz de la locomotora y trataba de adivinar las si-

luetas que se desvanecían entre las sombras. Por un instante le pareció ver a·un hombre con una valija que
cruzaba los rieles, pero lo atribuyó al cansancio que le
excitaba la imaginación. Justo antes de una curva, distinguió un poste con una caja pintada de rojo y dio la
voz de alerta. El maquinista frenó despacio, como si temiera que el tren se desarmara en pedazos. El sultán saltó al terraplén y corrió como si llegara a un oasis. Quomo
y Lauri se acercaron con una linterna y lo encontraron
golpeando la caja con una piedra.

—Abra eso o me quedo sin discurso —dijo Quomo.

El argentino apartó al sultán y miró su reloj. Trataba
de calcular qué hora sería en Buenos Aires. Pidió alambre y una pinza al fogonero y trabajó cinco minutos
mientras los otros seguían sus movimientos con ansiedad. Por fin la cerradura cedió y un aparato negro y an-
tiguo apareció a la vista de todos. El sultán se abalanzó
sobre el tubo, se lo llevó a la oreja y sacudió la horquilla
con una mueca de disgusto.

—Mudo —dijo, y se lo pasó a Quomo.

—¿Puede arreglar esa cosa también? —preguntó el comandante con una sonrisa de complicidad.

Lauri dijo que lo intentaría y pidió un destornillador.
Todos se quedaron mirándolo como si esperaran un mi-
lagro. Sin advertirlo, habían formado una cola disciplina-
da, como si esperaran frente a una cabina pública.

Al rato, el argentino avisó que la operadora estaba en
línea. El Katar le arrebató el teléfono y pidió un largo
número de Trípoli mientras les hacía señas de que lo dejaran solo. De repente, su cara se iluminó y empezó a hablar en árabe, bajando la voz, mirando furtivamente a su
alrededor.

Quomo se alejó por la vía y señaló a Lauri una torre de
cemento más allá de la curva.

—Ahí están las antenas de radio y televisión —dijo—

Vamos a tirar el cable del teléfono hasta allá.

—¿Qué hubiera hecho si no se tropezaba conmigo?

—Me hubiera casado con Florentine y andaría por los casinos del mundo.

—¿Sabe que usted se parece a Lenin?

—Trato de serle fiel. Ahora conecte ese cable y va a ver cómo este país salta de la cama y sale a cambiar la historia.

68

El cónsul Bertoldi, que se había despertado al frenar el tren, se asomó por la ventanilla y observó al grupo. Salvo los dos ferroviarios, los otros vestían andrajos empapados y parecían espectros. Temió que se demoraran, pues vio que el más viejo de los negros tendía un cable largo mientras el joven blanco trepaba por una torre de cemento. Los monos sacaban las cabezas por las ventanas y parecían inquietos. Bertoldi se fijó en el que daba las órdenes. Nunca pensó que vería de cerca a Michel Quomo, de quien los blancos decían que había estropeado para siempre la paz del Africa. Se dijo que ese encuentro con el dictador enriquecería sus memorias y salió de entre el carbón para no perderse ningún detalle. De pronto le pareció oír que desde lo alto de la torre llegaba una puteada en español y luego un carajo, o algo así. Se ocultó, intrigado, y vio que el tren se movía para permitir que la luz de la máquina iluminara a los hombres que estaban trabajando. Sobre la torre había varias antenas y el blanco saltaba de una a otra con un rollo de cable al hombro. Oyó que gritaba "pruebe ahora" y concluyó que se trataba de un extranjero. Quomo se paseaba por las vías sosteniendo el teléfono en una mano, como un micrófono, y decía frases cor-

tas que el cónsul no alcanzaba a comprender. Desde la
locomotora, uno de los ferroviarios gritó "¡se escucha,
comandante, se escucha!", y el otro blanco, que tenía la
túnica puesta como un poncho, salió corriendo a contraluz, levantando pedregullo, bendiciendo a Dios. El cónsul
no entendía bien lo que estaba sucediendo, pero cuando
los negros levantaron el volumen de la radio y la voz de
Quomo se entrelazó con los bramidos de Steve Wonder
y con las baterías de The Police, se dio cuenta de que el
dictador estaba entrando en cadena por todas las emiso-
ras de Bongwutsi.

El de la túnica pidió al maquinista que silenciara la locomotora. En un instante sólo quedó el repiqueteo de la
lluvia sobre los techos de los vagones. De espaldas al faro,
encerrado por una aureola de moscones y mariposas des-
concertados por la luz, Quomo se sentó sobre una baliza
y empezó a hablar en su idioma. Al principio la voz era
amable, casi musical, y Bertoldi, que la escuchaba amplifi-
cada por el transistor de los ferroviarios, pensó que explicaba algo, o que hablaba al oído de las mujeres que escuchaban las novelas de trasnoche. Después el tono se hizo
más rápido y las consonantes se entrechocaron como piedras. Las pausas eran agónicas y parecía que rogaba y exi-
gía a la vez, que ordenaba y persuadía. Los monos empezaron a bajar del tren, embelesados. Algunos rugían mirando al cielo. El cónsul vio que Quomo se paraba y hacía
gestos breves, precisos, como si dirigiera una orquesta ante un auditorio anhelante. El árabe estaba frente a la radio con la boca abierta, como un idiota iluminado. Las
caras de los negros se torcían de sorpresa y se endereza-
ban de felicidad.

Al final, Quomo arrastró las vocales, las retorció, las hizo vibrar con un punteo de respiración acelerada, y levantó el puño con tanto convencimiento que Bertoldi, sin
darse cuenta, se enderezó para imitarlo. Alguien vivó al
comandante y a la revolución, y los monos empezaron a

saltar hasta que los durmientes de las vías temblaron y el
pito de la locomotora sacudió la larga noche de Bongwutsi.

69

El teniente Tindemann detestaba la voz de Steve Wonder, así que ordenó a Kiko que pusiera cualquier otra cosa. El negro pasó por un radioteatro británico, un noticie-
ro sobre las actividades del Emperador y se detuvo en
Jacques Brel, que cantaba *Comment tuer l'amant de sa
femme*. O'Connell frunció el ceño frente al fusil que le
apuntaba y siguió recapacitando sobre la actitud del ruso
que todavía llevaba consigo las cartas de Bertoldi. No
creía que lo fusilara por su cuenta, sin consultar primero
a Quomo, o al menos al cónsul Bertoldi, que se había
puesto a salvo durante el combate. De todos modos le
pareció prudente aclarar su situación y decidió entregar
al soviético el informe que le había escrito a Quomo antes de salir del consulado. Le pidió atención empujándolo
con el codo y señaló el crucifijo hueco que llevaba colgando del cuello. Al principio, Tindemann creyó que el otro
quería encomendarse a Dios, pero cuando lo vio abrir la
cruz y sacar un papel doblado, pensó que esa noche estaba de parabienes. O'Connell desdobló el documento y
lo entregó al representante del Ejército Rojo.

El teniente leyó dificultosamente, pero entendió que
un tal O'Connell había quedado al margen de la revolución al ser sorprendido por los soviéticos en la fiesta de la
reina Isabel. Allí, el teniente Tindemann interrumpió la
lectura, bajó el volumen de la radio y preguntó a su prisionero quién era O'Connell y a qué revolución se refería

el papel. El irlandés señaló el nombre de Quomo y entonces el ruso recordó que Moscú ya había prevenido a la embajada sobre un posible rebrote del trotskoanarquismo.

Antes de seguir leyendo, Tindemann quiso saber qué clase de droga le habían puesto los búlgaros en el paraguas. Se lo preguntó a O'Connell y le enumeró la de la euforia paralizante, la de la melancolía creativa y la de la angustia movilizadora. El irlandés reflexionó un rato y se decidió con un gesto por la de la angustia movilizadora. Tindemann le señaló, entonces, que de ser así no estaría mudo, sino sordo como una lombriz. Enseguida, para tranquilizarlo, agregó que el efecto desaparecería con el choque de una fuerte decepción amorosa o una intensa emoción política. Fue en ese momento que la voz de Jacques Brel se interrumpió bruscamente y Quomo lanzó su mensaje al proletariado de Bongwutsi.

O'Connell reconoció la voz como si fuera la de su propia madre. Entonces dio un grito tan fuerte que el teniente Tindemann, tomado de sorpresa, apretó el gatillo del fusil y perforó el techo. Para Kiko, que manejaba ensimismado, calculando cómo zafar de una situación tan enojosa, la palabra del comandante fue como un latigazo en la cara. Perdió el control del camión, salió de la ruta y fue a dar contra un cartel de Mobiloil. Los peones que iban en la caja saltaron al pavimento y se encontraron con Kiko que levantaba los brazos y gritaba el nombre de Quomo. El que tenía una oreja de menos propuso fusilar allí mismo al teniente Tindemann, que O'Connell había arrojado fuera de la cabina. En el suelo, maltrecho, el ruso atribuyó la alegría de los otros a su propia derrota, y se resignó a aceptar que los trotskistas siempre se alían con el imperialismo para traicionar al campo popular.

70

El cónsul advirtió que si seguía en el tren iba directa
mente a la catástrofe. Mientras miraba a los monos que
volvían a los vagones, pensó que ahora todo Bongwutsi
estaba al tanto de que el dictador había retornado y nadie se ocuparía de perseguirlo a él. En el momento del
festejo, luego del discurso de Quomo, el blanco más joven había gritado vivas y carajos en español y eso lo intri-
gaba un poco porque eran los mismos que se escuchaban
en las calles de Buenos Aires antes de que Estela y él par-
tieran para el Africa. Lo vio orinar junto a la locomotora
y luego subir detrás de los negros cuando el tren se ponía en marcha, por lo que dedujo que se trataría de un
asesor enviado por los cubanos. Ni bien el último vagón
dobló la curva, Bertoldi salió de su escondite y caminó
hasta la caja del teléfono, que los comunistas habían dejado abierta. El aparato estaba en el suelo, junto a un
enredo de cables amarrados entre sí y conectados a un
coaxil que colgaba de la torre de cemento. Dejó la maleta
junto a la baliza donde se había sentado Quomo y se dijo
que tal vez podría llamar a Daisy para avisarle que lo esperara en Zurich. Por el tubo oyó un fondo de música
marcial, pero al agitar la horquilla la marcha desapareció
y se hizo un silencio profundo como el de una caverna.
Sacudió el aparato y obtuvo primero el tono, luego otra
vez la música y al fin un vacío similar al que dejaba la
BBC cuando finalizaba sus emisiones. De golpe no pudo
resistir la tentación de dirigirse al pueblo de Bongwutsi
para explicar la posición de la Argentina ante el inminente desembarco de los británicos en las Malvinas.

Aunque no era diestro en materia de discursos, lo alivió pensar que alguien, al fin, le prestaría atención después de haber sido calumniado, despreciado y prácticamente arrojado en brazos de los comunistas. Así lo dijo, de pie, apenas protegido por el panamá y el impermeable roto por todas partes. Anunció que hablaba desde algún lugar del Imperio donde había puesto a salvo el pabellón nacional y, llevado por el ritmo sofocante de su relato, afirmó que ningún inglés pisaría nunca tierra argentina, ni entraría en el reino de los cielos. Sostenía el teléfono como si estuviera en una cabina pública y por momentos su voz se entrecortaba por la emoción, sobre todo cuando evocó el triunfo de Liniers y anunció que la armada argentina hundiría a la flota real como si fuera un cucurucho de papel. Al final le pareció adecuado recordar que su bandera nunca había sido atada al carro triunfal de ningún vencedor de la tierra, y antes de colgar el teléfono dio tres vivas a Dios y a la patria amenazada.

Cuando terminó de hablar se encontró otra vez solo en la vía que cortaba la selva, con el estómago vacío y el espíritu decaído. Tomó la valija y se internó por el sendero de un obraje pensando que ahora sí el mundo sabía de él y por lo tanto a nadie se le ocurriría pensar que estaba huyendo.

71

El teniente Wilson recorrió con el jeep la rampa de los fuegos de artificio, saludado por una docena de soldados que esperaban la orden de encender la cohetería. En ese momento la voz de Quomo apareció por la radio, y aunque el militar no comprendió una sola palabra de lo que decía, se dio cuenta de que la sublevación estaba en marcha. Estaba convencido de que algo había fallado en los

planes del Estado Mayor y que el capitán Standford había
sido eliminado por los soviéticos para quebrar el sistema
de defensa conjunta con las fuerzas armadas del Emperador. El agente Jean Bouvard, que no había querido ridi-
culizarse poniéndose los pantalones cortos de la tropa
británica, esperaba en piyama, bajo la rampa, masticando
un sandwich de pollo y rumiando la decisión de cambiar
de bando para evitar la humillación y la cárcel. Cuando
escuchó el discurso de Quomo, se preparó para entregarse
a los soviéticos y se preguntó qué podía ofrecerles a cambio de una tranquila granja en Ucrania.

Wilson, que tenía las rodillas sucias y las medias caídas,
le pidió disculpas por haber puesto en duda la veracidad
de su relato y lo invitó a hacer frente a la revolución junto a los soldados de Su Majestad. Bouvard echó un vistazo
a su alrededor, observó a los galeses borrachos y a los es-
coceses fumados, y dijo que prefería ponerse a disposición de su embajador.

Estaba débil y sin ánimo y rogó al teniente que lo acercara al bulevar: calculaba que el ofrecimiento de una lista
completa de agentes lituanos que trabajaban también para
la CIA podría tentar al Kremlin.

El inglés asintió y ordenó a un sargento que lanzara las
bengalas al cielo. En ese momento, desde la radio del jeep,
les llegó la voz temblorosa del cónsul Bertoldi que decla-
raba solemnemente haber puesto a salvo el honor de los
argentinos.

72

Kiko ordenó a los peones que encerraran al ruso en la
caja del camión y entregó a O'Connell el paquete de cartas y el informe que había recogido del suelo. El negro

al que le faltaba una oreja tomó el fusil y disparó al aire
hasta que se le terminaron las balas. El irlandés dio gracias
a Dios por devolverle la palabra y preguntó a Kiko si conocía cuál era el grado de compromiso que Quomo había
pactado con los soviéticos. El chofer lo ignoraba y propuso mantener como rehén al teniente Tindemann para hacer frente a cualquier imprevisto. Luego señaló el paquete
y quiso saber por qué se lo disputaba tanta gente.

—Desbordes del corazón —dijo O'Connell y volvieron a
la cabina—. Nunca tenga amantes inglesas, y si las tiene
no les escriba.

—Kiko nunca escribir —dijo el chofer y puso en marcha
el motor. Uno de los peones subió a la caja y el otro se
paró en el estribo con una ametralladora al hombro.

—Una vez ingleses querer hacerme escribir rendición y
no. Otra vez, rusos decirme entregar bandera roja y no.

Se apoyó un pulgar en el pecho:

—Siempre preso —siguió—. Ahora trabajar en cuadrilla
municipal con nombre cambiado.

—¿Cuántos alzamientos lleva? — preguntó el irlandés.

—Todos los que tomarme desprevenido. ¿Buscar comandante?

—Vamos. Estoy ansioso por verlo de nuevo. Lástima
que no me mandó la plata, que si no ya tenía comprado
el arsenal y lo recibía con una salva de veintiún cañonazos.

73

Quomo, Chemir y Lauri subieron al techo de la locomotora ni bien distinguieron los primeros suburbios
alumbrados a kerosén. Chemir, con el corazón apretado por la dicha del regreso, se puso a lagrimear. Lauri pensó en sus compañeros y entonó *Volver* a media

voz, apoyándose en la escalera, mientras Quomo observaba las colinas con los prismáticos del maquinista.
El tren cambió de vía y se dirigió hacia una playa donde había una fila de vagones abandonados y dos máquinas en reparación. Un chico desnudo y panzón cruzó delante de la locomotora seguido por un perro rengo.
Más allá de la estación Quomo distinguió las sombras del
lago y algunas barcazas que flotaban a la deriva. Al ver
que el bulevar estaba a oscuras temió una emboscada y
corrió sobre los techos gritando hasta que los monos se
levantaron, furiosos, y empezaron a destrozar los vagones.

Los primeros gorilas saltaron a tierra cuando la máquina entró en la estación dando pitazos y arrastrando las
ruedas bloqueadas por los frenos. El rubio iba al frente
haciendo sonar el timbre, corriendo por el andén desierto
mientras otros volteaban la cerca de alambre y ganaban
la calle. Quomo se arrojó sobre una pila de durmientes y
Lauri fue detrás de él dando gritos. El sultán cayó de rodillas en el último vagón e invocó la protección de Alá y
la gloria del coronel Kadafi, que por teléfono le había ordenado ocupar en su nombre la embajada de los Estados
Unidos. Chemir se deslizó por la caldera de la locomotora y cayó lastimosamente a los pies de los ferroviarios
que corrían a ponerse a salvo. Los monos invadieron la
explanada de carga y empezaron a dar vuelta los camiones
y los carros repletos de mercadería. De pronto, en el cielo
estalló una bengala amarilla y luego una estrella blanca, y
enseguida miles de petardos rojos y azules, hasta que la
ciudad se encendió como si fuera mediodía y por las bo-
cacalles llegó un calor de horno y un ruido de tambores:
los primeros harapientos aparecieron blandiendo palos,
hachas y machetes, y Quomo trepó hasta lo más alto de
un farol vociferando, con las venas hinchadas, mientras
señalaba con un brazo las torres del palacio imperial.

74

Desde lo alto de una cuesta, por entre las escobillas del limpiaparabrisas, O'Connell vio al cónsul Bertoldi que corría a ocultarse detrás de una hilera de bananeros. Iba cubierto por el panamá y arrastraba una valija. Kiko apretaba el acelerador a fondo, pero el Chevrolet se había quedado sin resuello y una humareda blanca subía desde el capó. El irlandés tomó la linterna y se arrojó del camión en marcha. Tropezó, pero consiguió enderezarse y se internó en la selva detrás del argentino. De vez en cuando cantaba un sapo y los insectos se movían en remolino alrededor de la luz. O'Connell llamó al cónsul por su nombre y lo sorprendió escucharse de nuevo la voz que sonaba áspera y un poco excedida. Caminó unos minutos en círculo, tomando como eje un árbol agujereado por las termitas, y volvió a llamar a Bertoldi en todos los tonos de cordialidad que le vinieron a los labios. Entendía bien por qué el argentino se ocultaba de él y se puso a explicar en detalle las causas que lo habían privado de la voz y de participar en la insurrección. Al rato, mientras charlaba a solas y alumbraba entre el follaje, sintió que le picaba la nariz y empezó a estornudar otra vez. Se preguntó cuál sería la planta que le resultaba tan dañina y empezó a apartar hojas y matorrales hasta que encontró al cónsul acurrucado contra la valija, ente dos tallos nudosos atiborrados de flores blancas. El argentino cerraba los ojos y se apretaba las orejas como si esperara un estallido. Una mosca gorda y azulada le caminaba por la nariz e iba a escarbar en las pestañas abundantes. O'Connell lo observó, perplejo, con el pañuelo en la mano, y entre un estornudo y otro le preguntó si la explicación le había resultado satisfactoria. Bertoldi abrió los ojos lentamente; la mosca se espantó y quedó dando vueltas entre los dos hombres hasta que O'Connell se agachó para mirar al cónsul de frente y demostrarle que estaba diciendo la pura verdad.

—Tengo sus cartas, por si no me cree.

—¿Mis cartas?

—Un paquete grande. No sé para qué escribía tanto; no hay nada que no pueda decirse en dos palabras.

—Aquí adentro hay una bandera —el cónsul señaló la valija temblando—. Cuando esté muerto cúbrame con ella.

—Está bien. Me emocionó con el discurso, le aseguro. ¿Dónde está Quomo?

—En el tren, con los monos. ¿En serio estuve bien?

O'Connell encendió un cigarrillo y lo puso en los labios del cónsul.

—Demoledor. Hace tiempo que nadie puteaba tanto a los ingleses.

—Yo lo único que quería era salir de acá —dijo Bertoldi en un hilo de voz.

—Va a salir hombre, ya se lo dije. En el avión del Emperador.

Dos lagrimones largos corrieron por las mejillas encarbonadas del cónsul. O'Connell lo tomó de la nuca y lo atrajo contra un hombro. El cigarrillo cayó sobre las hojas mojadas.

—Ya estamos cerca, compañero. Vamos, que el comandante está esperando.

—¿Entonces me perdona. . .?

—Quédese con el sombrero si le gusta tanto, hombre —el irlandés levantó el cigarrillo y le dio una pitada—. Déme que le llevo la valija.

—No me quería rendir, ¿sabe?, no les quería dar el gusto.

— ¡Cómo se iba a rendir!

El cónsul se refregó la cara con la manga del impermeable y sacó la botella. Estaba tan tiznado como Al Johnson.

—No se imagina las que pasé por esa valija. . . —dijo y se puso de pie.

—Ya me va a contar. Venga que le doy las cartas.

O'Connell caminó adelante, con la maleta, hasta que salieron de la selva. Al otro lado de la ruta esperaba el Chevrolet con los faros encendidos. Cuando lo vio llegar, Kiko hizo sonar la bocina y gritó, alborozado:

— ¡Hombre de Falkland traer plata! ¡Festejar, festejar!

75

Apretado entre O'Connell y Kiko, con los pies sobre la valija que el irlandés había dejado en el piso de la cabina, el cónsul pensaba en el futuro. No estaba seguro de tener el coraje de soportar la entrega de su bandera, ni de mirar a los ojos a Mister Burnett después de lo que había dicho por radio. Tal vez lo metieran en la cárcel, o en un sótano de la embajada británica. Se arrepintió mil veces de haber sido tan imprudente, aunque estaba secretamente orgulloso de haber defendido públicamente la causa argentina.

Ya no podía irse a Tanzania, porque ni siquiera tenía dinero para el ómnibus y aún si O'Connell le facilitaba algunos billetes falsos, tarde o temprano terminaría trabajando con los negros en un aserradero o en una represa. Lo atormentaba la idea de volver a su casa derrotado, de ir a correr detrás del commendatore Tacchi para pedirle unas libras, o peor todavía, confesarle que nunca había sido cónsul y tener que implorarle un empleo de mayordomo en la embajada. Por un momento pensó que si los comunistas triunfaban, todos los blancos correrían una suerte horrible, sirviendo en las casas de los negros o ba-

rriendo las calles, como las mujeres de Rusia. Aunque quizá, se dijo, su amistad con O'Connell lo pusiera a cubierto
de esas bajezas. ¿Por qué todas las desgracias le habían
caído juntas? El no había querido abandonar a Estela:
tarde o temprano se las hubiera ingeniado para llevarla a
Córdoba y sepultarla allí, en la falda de una montaña, como ella se lo había pedido. En realidad ya no recordaba si
le había pedido eso u otra cosa, pero estaba demasiado
confuso y no quería correr el riesgo de incumplir una promesa. Los comunistas le ofrecían llevarlo a Buenos Aires
en el avión del Emperador, pero primero tenían que tomar el poder y el cónsul dudaba de que lo consiguieran
con gente como Kiko y el de la oreja cortada, que un rato
antes habían querido robarle el dinero. De pronto estaba
riéndose solo: se acordaba de los negros que lo abandonaron a su suerte con el gorila, en el medio de la calle, y trataba de imaginarlos haciendo una revolución, aun una revolución comunista. Vio que O'Connell se reía con él, a
su lado, y le daba palmadas en la espalda. Al fin de cuen-
tas, pensó, había protegido el dinero, había pasado una
noche terrible para que los otros no se apoderaran de la
valija y los subversivos tendrían que reconocérselo de alguna manera.

Estaban entrando a la ciudad por la costanera cuando
el cielo se llenó de luces de colores, y oyeron, a lo lejos,
un repiqueteo de disparos y las explosiones de bombas y
cohetes.

—¡Ese es Quomo! —dijo O'Connell y sus ojos bizcos se
enderezaron de júbilo mientras abrazaba al cónsul.

Kiko empezó a tocar la bocina y apretó el acelerador a
fondo. Atrás, en la caja, los otros negros daban alaridos y
disparaban al aire. Bertoldi no supo si ponerse contento o
encomendarse nuevamente a Dios, que lo tenía abandonado desde hacía tanto tiempo.

76

La ciudad cambiaba de colores al capricho de las bengalas: por instantes se teñía de ocre, y luego viraba bruscamente a un azul que se degradaba en celeste, hasta que aparecía un amarillo intenso y más tarde un verde que parecía arrancado de la profundidad de la selva. Los frentes de las casas parecían arder y sacudirse entre los chisporroteos de las cometas y el estruendo de los tambores. Los monos avanzaron por las avenidas amontonando coches y los nativos que iban detrás los quemaban con antorchas y botellas de kerosene. El jeep del ejército británico quedó encerrado en una emboscada de miradas oscuras y el agente Jean Bouvard comprendió que no llegaría nunca a refugiarse en la embajada soviética. El teniente Wilson aceleró para subir a la vereda y aunque derribó algunos gorilas, quedó aprisionado en un colchón de pelambres viscosas que olían a excrementos y a tierra mojada.

Quomo llegó al arsenal derrumbado y mandó sembrar el camino de obstáculos. Lauri levantó la vista al cielo y pensó que esos fuegos de artifico celebraban un sueño cumplido. De lejos, con el sonido de los tambores, le llegó un aire de minué. Los monos y los negros corrían calle arriba como si el agua incesante anunciara el día del juicio final. Chemir iba sobre los hombros del gorila rubio, y el sultán, arrastrado por la corriente, tomaba de los brazos a los hombres y mujeres que pasaban a su lado y les preguntaba a gritos la dirección de la embajada de los Estados Unidos. Desde algún lugar partieron disparos y la gente se desbandó hacia los jardines del bulevar mientras los monos seguían avanzando por el medio de la calle. Co-

mo los otros, Lauri se tiró al suelo y se arrastró hasta donde estaba Quomo.

—Lo siento —dijo el comandante—, los argentinos acaban de perder las Malvinas.

—¿Ya?

—Ese es nuestro próximo objetivo, Lauri, se lo prometo. La República Popular Socialista de Malvinas.

En el otro extremo del bulevar apareció el camión de
Kiko atropellando escombros, llevándose por delante los
tachos de basura. Sobre la cabina, O'Connell había instalado una ametralladora que escupía fuego contra los frentes de todas las embajadas.

—Ese es el irlandés —dijo Quomo—. La historia lo ab-
solverá.

—¿Por qué está tan seguro?

—Porque yo seré su abogado. Corra, vaya a izar nuestra
bandera en la embajada de Gran Bretaña.

—Creí que eso era privilegio suyo.

—Ya se terminaron los privilegios, compañero. ¿Se
acuerda cuando me reprochaba vestirme en Cacharel?

—Me acuerdo. Discúlpeme.

— ¡Si usted pudiera verse la pinta, Lauri! Parece un negro rotoso.

—¿En serio vamos a sublevar las Malvinas?

—Claro que sí. Debe haber patriotas allá.

—Lo dudo.

—Entonces lo mandamos a O'Connell.

Lauri se paró y vio a dos blancos y tres negros que de-
sembarcaban del camión atravesado en la calle. Los negros tiraban contra la embajada británica mientras un
blanco corría con una valija y el otro se paraba sobre el
techo del Chevrolet y levantaba el puño izquierdo. A Lauri le pareció que estornudaba.

—¿Quién es el de la valija? —preguntó.

—El cónsul de las Falkland —contestó uno de los negros que estaba a su lado—. Un hombre valiente que hizo la guerra solo contra todos los ingleses y cuando tuvo plata salió a repartirla entre el pueblo.

77

Cuando el viento paró de golpe, la estrella de cinco puntas de Mister Burnett perdió la elegancia del vuelo y se precipitó más allá de la plaza del arsenal. Mientras corría a buscarla, mascullando maldiciones, ajustándose el cordón de la salida de baño, el inglés vio a los monos que invadían el bulevar y escuchó el breve tiroteo hasta que cayó la guardia de su embajada. Comprendió, entonces, que el teniente Wilson estaba en lo cierto y que el dicta· dor Michel Quomo había vuelto a Bongwutsi aprovechando que sus tropas estaban desembarcando en las Falkland.

Se deslizó por una calle lateral, y al ver a los negros alborotados, comprendió que no podría volver a su residencia. Pensó refugiarse en la fortaleza del coronel Yustinov, pero la turba había tomado la calle y no le sería posible llegar hasta allí a menos que el ejército del Emperador iniciara la contraofensiva. Al entrar al barrio del consulado argentino, se preguntó si a pesar de todo Bertoldi lo dejaría pasar la noche en su casa y lamentó otra vez haberse olvidado de dar la orden de que le pagaran el sueldo. Golpeó a la puerta con la intención de disculparse y observó el imperdonable descuido en que estaba sumido el jardín. Como nadie salió a atenderlo, Mister Burnett imaginó que el cónsul, espantado por la irrupción de los revolucionarios, había abandonado la casa.

Atravesó la esquina y vio que los soldados de la zona de exclusión estaban rindiéndose al enemigo, de manera que se dirigió hacia el lago con la esperanza de embarcar en el yate de Mister Fitzgerald o en la lancha de Herr Hoffmann.

Cuando llegó a la plaza, encontró el arsenal destrozado y esperó un descuido de los últimos monos que merodeaban por el lugar para cruzar hasta la orilla del lago. Caminó por la playa, temblando de inquietud bajo el estallido de las bengalas, observando los árboles volteados por el ventarrón, atisbando los movimientos de los barcos que salían del puerto, hasta que un fulgor espléndido apareció ante él. A dos pasos de la orilla, deslizándose como un cisne majestuoso al compás de las olas, flotaba el Rolls Royce Silver Shadow que había sido del sultán El Katar. Entonces, con la respiración entrecortada por el júbilo, Mister Burnett comprobó una vez más que Su Majestad Serenísima no abandonaba nunca a sus mejores súbditos.

78

Mientras el Chevrolet descendía por el bulevar, O'Connell y los negros disparaban un infierno de balas y granadas sobre todas las embajadas que encontraban a su paso. Al llegar a la de Gran Bretaña, Kiko detuvo el camión y el irlandés dirigió el fuego contra el frente del edificio mientras cantaba aires de triunfo y encomendaba al Señor la suerte de la clase trabajadora. Cuando estalló la bomba de retardo que había puesto unas horas antes en las oficinas de la OTAN, los guardias depusieron las armas y salieron de sus refugios con los brazos en alto. Los monos invadieron de inmediato el parque y arrojaron a los ingleses a la piscina antes de meterse en el salón donde todavía estaba servida la cena de cumpleaños de la reina Isabel. El cónsul Bertoldi saltó del camión para poner a salvo la valija y tuvo la sensación de estar presenciando un momento histórico que enriquecería su testimonio sobre el avance del comunismo y la caída sin gloria del imperio británico. Aprovechó la confusión para alejarse, aturdido por los gritos y los cantos. Cuando vio que O'Connell apuntaba la metralla contra la representación soviética, pensó que había llegado el momento de entrar en lo de Mister Burnett para reemplazar la bandera británica por la celeste y blanca que llevaba en la valija.

Levantó sobre la cabeza el panamá del irlandés, porque supuso que así nadie lo confundiría con un enemigo, y fue abriéndose paso entre los monos que hacían cola para tomar asiento en el banquete, los sirvientes borrachos que distribuían botellas, y los negros pintarrajeados que bailaban y tocaban el tambor. Al pasar frente a la piscina reconoció al oficial inglés que le había llevado el mensaje al comienzo de la guerra. Ahora trataba de mantenerse a flote, había perdido los anteojos y sus pelo parecía más rojo con el reflejo de los fuegos artificiales.

Frente a la escalinata divisó el mástil y se preguntó si Mister Burnett estaría escondido en la casa. Lamentó que Daisy no estuviera allí para verlo y miró a su alrededor para saber si los periodistas habían llegado por fin a Bongwutsi. Al único que vio cerca fue al teniente Tindemann, que llevaba una Kodak de bolsillo y se ocultaba entre los pinos. Llegó hasta el pie del mástil, llamó la atención del ruso para que no se perdiera la instantánea y empezó a arriar la bandera del enemigo. Mientras la tela tricolor llegaba a sus manos, pensó que quizá era un desatino dejarse retratar por un comunista, pero no había otro fotógrafo cerca y concluyó que su ingrata vida de empleado público había quedado sepultada por una marea de acontecimientos que lo estaban redimiendo para siempre. Recogió la enseña británica y la dobló para guardarla como trofeo. Cuando abrió la valija para sacar la suya, advirtió la absorta mirada de Carlos Gardel, el fugaz rostro de Estela sobre

un fondo de madreselvas y el sereno semblante verde de
Benjamín Franklin que lo contemplaba desde los billetes.
Ató la bandera y se irguió para izarla cuando oyó que alguien gritaba "a vencer o morir" y empezaba a entonar,
con una voz porteña, desafinada pero sincera, las primeras
estrofas del Himno Nacional. Bertoldi se dio vuelta y miró al joven desharrapado que llevaba un trapo rojo en las
manos. Le sonreía, parado junto a la glorieta y cuando olvidaba la letra de un verso la reemplazaba por un juego de
sonidos que seguían los compases. El cónsul, que ya había empezado a sentirse menos solo, besó el sol de la bandera y prosiguió la ceremonia con un fervor que le salía
del alma. Estuvieron mirándose a los ojos, midiéndose,
mientras dos emociones diferentes y profundas los ganaban en aquel jardín arrebatado al imperio británico.

79

Lauri se preguntaba quién podría ser ese argentino de-
solado y triunfal, envuelto en un impermeable tiznado,
con los dedos de los pies asomando por los agujeros de las
botas, que cantaba a grito pelado al pie del mástil. Le ex-
trañó que fuera un funcionario de los militares porque un
negro le había dicho que cuando tenía dinero lo repartía
entre los pobres. Advirtió con qué envidiable convicción
entonaba el O juremos con gloria morir del final, y se dispuso a preguntarle si era él quién había hablado por radio
después de Quomo. Antes de que Lauri pudiera decir algo, sin darse un momento de respiro el hombre ya estaba
cantando otra vez Oíd mortales el grito sagrado y tiraba
de la cuerda mientras la bandera ganaba altura sobre un
fondo de destellos y explosiones fugaces. Cuando la

enseña llegó al tope, Lauri sintió una rara emoción. Aunque Quomo le había encargado izar la enseña del proletariado internacional, pensó que no tenía derecho a arriar la otra que lejos de allí había sido deshonrada por los británicos. Dejó que su compatriota terminara con el Himno y vio cómo se agachaba rápidamente a cerrar la valija azul, bastante maltrecha, que tenía a su lado.

—¿Así que usted es mi cónsul? —dijo.

—¿Con quién tengo el gusto? —respondió secamente Bertoldi y miró la bandera roja que el joven llevaba hacia el mástil. Lauri le dijo su nombre y lo miró a los ojos.

—¿Es el cónsul o no es el cónsul?

—No, qué voy a ser. . . Yo soy Bertoldi, el empleado.

—Me pareció escuchar. . .

—Entendió mal. El cónsul es Santiago Acosta y se borró hace tiempo. Oiga, ¿no pensará colgar esa cosa al lado de nuestra invicta bandera?

—Lamento informarle que ya ha dejado de ser invicta.

—¿Qué me quiere decir?

—Que los militares se rindieron.

Bertoldi lo vio tirar de la cuerda y estuvo a punto de golpear a ese hombre que parecía un linyera, pero se dijo que el gesto sería inútil porque las fuerzas de los comunistas eran superiores.

—¿Usted es el que hizo el discurso por radio? —preguntó Lauri—. Le aseguro que tuvo momentos conmovedores

—Dígalo si alguna vez vuelve a la patria. No agregue ni quite nada, cuéntelo nada más.

—¿Eso de que nunca pudo bailar en el Sheraton también?

—¿Dije eso? No, puede olvidar esa parte, estaba bastante alterado, imagínese.

Lauri ató la bandera roja debajo de la celeste y blanca y las izó juntas. Bertoldi miró a los costados.

—Me está poniendo en un compromiso, che. Déjeme decirle que no es de buen argentino reverenciar otra bandera.

—¿Pero cómo? ¿Justo ahora se va de viaje?

Bertoldi miró la valija y sonrió, incómodo.

—Bueno, pensaba ir al frente.

—¿A las Malvinas?

—Iba a intentarlo. Ya van para diez años que falto.

—Por ahí anda un oficial soviético tomándonos fotos.

—Si usted pudiera pedirle un juego. . . Dígale que es para un amigo.

—Me pareció que ese hombre venía con usted. ¿Es cierto que lo acusaron de cambiar plata falsa?

—¿De dónde sacó eso?

—Lo dijo usted por la radio.

—No tenía con quién hablar, ¿sabe? A veces me sentía tan solo. . . Mi esposa murió aquí.

—Y la cancillería lo abandonó. También lo dijo.

—Lo siento. No cuente nada, entonces; no vale la pena.

—No tenga miedo. Voy a decir que peleó solo contra todos los ingleses.

—No le van a creer, a los comunistas no les cree nadie.

—Pensé que usted había participado del sublevamiento con O'Connell.

—Claro, pero a mí me estafó todo el mundo. Ese irlandés me dio plata falsa. Eso aclárelo si oye decir otra cosa.

—Vamos, hay que tomar el palacio.

—¿Le van a quitar el avión?

—¿Al Emperador? Le vamos a quitar todo, supongo.

—¿Usted va a aprovechar el vuelo?

—A mí no me quieren en otro lado.

—No nos quiere nadie, eso es cierto. ¿De dónde sacó que perdimos las islas?

—Me lo dijo Quomo.

—No le crea. Ese tipo expropió hasta los bancos de las escuelas.

—Lo va a hacer otra vez.

—¿No ve?

—En una de esas se lo encuentra por allá. Dice que va a sublevar las Malvinas.

—No le diga que me vio.

—Lástima. Me hubiera gustado tener con quien tomar unos mates de vez en cuando.

—Quédese con la casa, si quiere. Hay un par de sueldos a cobrar, también. Hable con Mister Burnett.

—Es posible que haya que fusilarlo.

—Antes pídale que avise al banco.

—De acuerdo. Si llega a Buenos Aires llame a mis viejos y dígales que estoy bien.

—¿Les cuento todo?

—Todo no. Arme una buena historia.

—No diga que Daisy me dejó.

—Y usted no diga que me echan de todas partes.

—Un día, cuando esté solo, saque ese trapo del mástil, ¿quiere?

—Cuídese, Bertoldi.

—¿El ruso nos sigue sacando fotos?

—No, ya se lo llevaron.

—Venga un abrazo—. El cónsul lo apretó con la poca fuerza que le quedaba. Cuando le palmeó la espalda, Lauri notó que estaba flaco como un espárrago y al respirar hacía un ruido de cañería atascada.

—Viva la Argentina, compatriota —dijo Bertoldi.

—Hasta la victoria siempre —dijo Lauri.

80

Quomo ordenó a Kiko y al gorila rubio que condujeran las columnas hacia el palacio imperial. El irlandés parecía dispuesto a destruir todas las embajadas y disparaba como un poseído desde el techo del camión. El peón de la oreja cortada acarreaba baldes de agua para enfriar la ametralladora, y el otro insertaba los cartuchos subido al capó mientras un grupo de monos observaba la escena tapándose los oídos. Cuando terminaban de demoler una fachada, avanzaban el Chevrolet unos metros y empezaban con la siguiente. Cuando le tocó el turno a la de los Estados Unidos, el sultán El Katar esperó a que el frente estuviera en ruinas y luego pidió un alto el fuego para ir a tomar algunos rehenes por si el ejército lanzaba un contraataque. Quomo lo miró quemar la bandera de las barras y las estrellas y luego subir la escalinata con aire arrogante y un tanto inexperto. Ya nadie respondía los tiros y las calles se llenaban de gente que hacía fogatas y bailaba.

Lauri vio alejarse al cónsul que levantaba un puño cada vez que se cruzaba con un negro y volvió sobre sus pasos. En el salón de fiestas de la embajada británica los gorilas ocupaban las mesas del banquete y vaciaban las fuentes de plata y las botellas de champagne. Alguien había puesto en marcha el generador de electricidad y una sinfonía de Mozart daba un aspecto solemne a los pesados movimientos de los comensales. Lauri cerró los ojos unos instantes y cuando los abrió encontró la misma escena, apenas modificada por camareros que entraban con trinchantes de carne asada y montañas de ensaladas y postres helados. El argentino pensó que tal vez Quomo había soñado todo eso con tanta intensidad que nadie podría escapar de ese espacio estrecho e inasible en el que todo era verosimil todavía. Mientras se acercaba al bulevar, volvió a escuchar el minué inconcluso en medio del tam-tam de los negros y la metralla obsesiva de O'Connell. Al otro lado de la calle, trepado a la estatua del Almirante Wellington, Quomo daba instrucciones y llamaba a las primeras asambleas. Kiko y Chemir llegaron con el jeep que había sido del teniente Wilson y el comandante saltó sobre la cabina descubierta. Lauri corrió para alcanzarlos temiendo que ya se hubieran olvidado de él. Chemir se inclinó y le tendió una mano para ayudarlo a subir.

—¡Avísenle al irlandés! —gritó Quomo—: ¡Vamos al palacio!

Kiko manejó entre la multitud que arrancaba estatuas y se llevaba a los caídos.

—Ahora el enemigo va a ganarnos muchas batallas y por mucho tiempo —dijo Quomo—. Espero que O'Connell haya gastado bien la plata. Vamos a tener que resistir hasta que los tiempos cambien y los blancos vuelvan a creer en algo.

—¿Por qué se pone pesimista ahora? Ganamos, ¿no?

—Sí, pero no es suficiente, Lauri. Todavía nos quedan por hacer muchas cosas más: sublevar las Malvinas, hacer cornudo al príncipe de Gales, desalcoholizar el whisky, vender Play Boy en Teherán, desmoralizar a los japoneses, sacarles a los pobres el orgullo de ser pobres...

—¿Lo vamos a hacer?

—Es más fácil descubrir el secreto de la ruleta, le aseguro. Pero alguna vez alguien lo hará.

—No agachar más la cabeza —dijo Chemir.

81

Parado a un costado de la ruta, el cónsul se preguntó qué hacer ahora que el último ómnibus había pasado. Porque estaba seguro de que los comunistas no dejarían partir ningún otro transporte por el que la gente pudiera escapar al extranjero. ¿Entregar la plata y volver al consulado a esperar que O'Connell cumpliera su promesa de facilitarle el avión del Emperador? En ese caso fortalecería a los revolucionarios y cuando llegara a Buenos Aires los militares lo pondrían preso por complicidad con la subversión. Algo le decía que de un momento a otro por esa ruta desfilarían los primeros coches huyendo hacia Tanzania o Uganda y no se equivocaba. Sólo que ninguno parecía dispuesto a detenerse para recogerlo. Quizá no tenía el aspecto adecuado para hacer dedo a esa hora, o tal vez nadie estaba dispuesto a cargar una valija más en el baúl. Los autos iban repletos y a toda velocidad, sin prender las luces porque los fuegos de artificio no habían acabado todavía. Bertoldi ocultó la valija detrás de unos arbustos y apretó bajo el brazo el paquete con las cartas a Daisy. Pasaron varios coches más y también un autobús fuera de línea, y como nadie hacía caso a sus señas fue a ponerse en el medio del pavimento, con los brazos y las piernas abiertos, calculando la distancia para arrojarse a un lado si el conductor no frenaba a tiempo. Desde allí vio venir, entre las ondulaciones del camino, un auto que le parecía conocer desde siempre porque sólo había uno así en Bongwutsi. El Rolls reflejaba en su trompa cromada los colores de las últimas bengalas que volaban sobre la ciudad.

Bertoldi corrió a la banquina y fue a esconderse detrás del arbusto donde estaba la valija: tenía miedo de que el inglés lo hubiera visto izar la bandera en el mástil de la embajada. Se quedó encogido mirando al suelo, un poco avergonzado. Había cumplido con su deber de argentino, pensó, pero ahora volvía a ser un hombre solo, abandonado, que tenía que cruzar la frontera por cualquier medio. No le quedaba mucho tiempo; metió la mano en el bolsillo del impermeable mientras avanzaba, receloso, hacia el asfalto. Cuando el Rolls apareció en la cuesta, a treinta metros, y pudo distinguir a Mister Burnett al volante, se paró sobre la línea que señalaba el medio del camino y empezó a agitar el pañuelo.

Esta edición de 10.000 ejemplares
se terminó de imprimir en
Impresiones Sud América,
Andel 666, Buenos Aires,
en el mes de noviembre de 1986.